The Legend of Aguila Azul

Paul Barile

illustrations by Julio A. Guerra

Translated into spanish by Raúl Ariza Barile

ISBN: 978-1-7345042-0-0 (print english)
ISBN: 978-1-7345042-7-9 (print english/spanish)

Library of Congress Control Number: 2020940075

Find out more about the Lucha Legends series at lucha-legends.com

Front cover image César Ayala and text illustrations by Julio A Guerra.
Book design by Lexographic. Body text typeset in Expo Serif Pro designed by Mark Jamra. Translation ©Raúl Ariza Barile, 2022.

published by Lexographic Press
5000 S Cornell Ave, Unit 6A, Chicago IL 606015
read@lexographicpress.com
lexographicpress.com
®lexographic press is a registered trademark in the US no. 6560471.

Distributed by Pathway Book Service
34 Production Ave, Keene, NH 03431, 1-800-345-6665

Para mi hermana
Dr. Leonor Adriana Barile Fabris
(for the love and the lucha)
—the author

Dedicated to my grandmother Maria "Tita" Ruan
—the illustrator

Para mi hermana,
la Dra. Leonor Adriana Barile Fabris
(por el amor y por las luchas)
—el autor

Dedicado a mi abuela, María "Tita" Ruan
—el ilustrador

One

All Gervasio Garcia wanted his whole life was to be a luchador like the great luchadors he read about as a kid growing up in Chicago's Little Village neighborhood. He wanted to wear a mask and fly high over the heads of adoring fans as he vanquished the villains—the ones he called rudos—and outsmarted their cheating ways.

The mysterious El Santo was easily Gervasio's favorite luchador. The flowing silver cape and crisp silver mask were enough to captivate every young fan who spent hours watching grainy films of El

Uno

Todo lo que Gervasio García quería en la vida era ser luchador; un luchador como los que aparecían en los libros que solía leer de pequeño mientras se criaba en el barrio Little Village de Chicago. Quería usar una máscara y volar sobre los aficionados mientras vencía a los villanos (a los que llamaba "rudos") cuando estos trataban de pasarse de listos.

El misterioso Santo era, sin duda, su luchador favorito. Su capa dorada reluciente y su brillante máscara bastaban para cautivar a cualquier joven aficionado que pasara horas mirando películas borrosas de El Santo y sus peleas legendarias. Ningún aficionado parecía estar más deleitado que Gervasio.

Pero también admiraba a Blue Demon. Su conversión de rudo (malo) a técnico (bueno) alentaba a los jóvenes interesados en la lucha a ser más como él.

Gervasio sabía que, si quería llegar a ser un gran luchador algún día, tendría que dedicarse de lleno a entrenar.

Solo comía tacos de los mejores y bebía Jarritos de tamarindo. Se ejercitaba todos los días después de hacer su tarea. Miraba películas de luchadores y ensayaba jugadas en el patio trasero de su casa con sus amigos Thiago y Jerónimo Beltrán. Gervasio nunca se rindió hasta llegar a ser el mejor. Nunca dejo que nada se atravesara en sus sueños.

Con el tiempo logró convencer a su abuela para que le hiciera unas licras ajustadas para entrenar. Las hizo de un color azul metálico para que Gervasio brillara entre la multitud que acudía a los gimnasios con olor a humedad en donde alguna vez se presentaría su nieto.

La capa era de un azul y morado profundos. Los colores brillaban para que sus adversarios vieran su propio miedo reflejado ahí cuando Gervasio entrara por fin al ring.

Santo and his legendary matches. No fan was more captivated than Gervasio.

The Blue Demon was another luchador that Gervasio admired. His turn from rudo/bad guy to tecnico/good guy seemed to inspire young men who followed wrestling to be more like him.

Gervasio knew that he would have to work hard to dedicate himself to training and conditioning if he wanted to become the luchador he always knew he could be.

He only ate the best tacos and drank the tamarind Jarritos. He worked out every day after he finished his homework. He watched the films and practiced his moves in the backyard with his friends Thiago and Jeronimo Beltran. Gervasio never gave up working to be the best. He never let anything get in the way of his dream.

Gervasio eventually convinced his grandmother to make him a pair of tights to wear when he was working out. She used metallic blue material to make sure Gervasio shimmered in the crowd that filled the musty gymnasiums in which he would one day wrestle.

The cape was royal blue and deep purple and shiny enough for his opponents to see their own fear reflected in it when Gervasio finally entered the ring.

Two

The three friends passed the hours between chores throwing each other around Gervasio's backyard and dreaming about the day they would approach Dr. Muerte and convince him to let them be luchadors.

Like most boys their age, they rushed through their chores and hopped the bus to Dr. Muerte's gym on California Avenue. They would sneak up the back steps and watch the older luchadors perfect their craft.

Afterwards they would run back to Gervasio's yard where they

Dos

Después de hacer sus deberes, los tres amigos se pasaban horas ensayando jugadas en el patio de Gervasio. Soñaban con el día en que pudieran convencer al famoso Dr. Muerte para que les permitiera convertirse en luchadores.

Como casi todos los chicos de su edad, terminaban sus tareas rápidamente y se subían al autobús que los llevaba al gimnasio del Dr. Muerte sobre la Avenida California. Solían entrar por las escaleras traseras para observar a los luchadores más veteranos perfeccionar su arte.

Después de eso volvían al patio de Gervasio y practicaban las nuevas jugadas entre los tres. La patada voladora era sencilla y pronto se aburrían de ella, así que pasaban a otros movimientos como la silla o la plancha. Estas jugadas eran mucho más peligrosas y requerían más destreza y fuerza física para lograrse correctamente.

El día en que a Thiago le salieron mal las tijeras voladoras, los tres chicos se asustaron al escuchar un fuerte crujido. Eso solamente podía significar algo: Thiago estaría fuera de la jugada durante un buen rato. Lo que no sabían es que sus vidas cambiarían ese día y que, para ellos, nada volvería a ser igual.

would try the new moves on each other. The simple drop kick seemed the easiest and they bored of it quickly, moving on to moves such as The Lungbuster and The Codebreaker. These moves were much more dangerous and therefore required more practice and more skill and much more physical strength to get them right.

The day Thiago missed The Five Star Frog Splash on Jeronimo all three boys were surprised to hear the crunching sound that could only mean one thing. Thiago would be out of commission for a while. Little did they know then that their lives had changed that day, and things would never be the same for any of them again.

Three

Dr. Muerte was a second (some say third) generation lucha legend. Like Dr. Muertes before him, he wore a purple and blue mask with white trim and royal blue tights. He never took the mask off in public. In fact, the only person to see him without his mask was Mrs. Muerte. He even wore his mask on their wedding day with a matching blue tuxedo with ruffles.

Between lucha events Dr. Muerte spent much of his time teaching young men and women the tricks of the trade or—as he liked to call it—the art of the lucha. He taught them every manner of flip and

Tres

El Dr. Muerte era una leyenda de la lucha de segunda (aunque algunos decían que de tercera) generación. Como otros Doctores Muerte antes que él, usaba una máscara azul con morado con acabados blancos y licras azul profundo. Nunca se quitaba la máscara en público. De hecho, la única persona que lo conocía sin máscara era la Sra. Muerte. Se dice que incluso la usó el día de su boda y que ésta combinaba con su esmoquin azul con holanes.

Cuando no estaba en el ring, el Dr. Muerte pasaba su tiempo enseñando el arte de la lucha a chicos y chicas. Les enseñaba todos los trucos y también las jugadas más peligrosas.

Les enseñaba a atacar sin lastimar a sus adversarios y a caer sin que se lastimaran; a hacer que todo pareciera real. Dedicaba su vida a transmitir esta elegante forma que para muchos no era más que la lucha libre.

Gervasio y Jerónimo formaban parte de un pequeño grupo de chicos del vecindario cuya recompensa por limpiar los vestidores o sacar la basura era observar las peleas o entrenar de cerca con los luchadores.

Los chicos se apresuraban a terminar todos sus deberes para que les tocara un asiento junto al ring. No les gustaba perderse de nada.

Hombres y mujeres jóvenes de todo Chicago acudían a formarse con el Dr. Muerte, incluso los de vecindarios lejanos: todo el mundo quería trabajar con él.

Después de observar cómo era el trato del Dr. Muerte con los luchadores más veteranos, Gervasio se armó de valor para preguntarle si podía entrar al ring.

El Dr. Muerte solo miró al niño flacucho y le entregó una escoba. Gervasio la tomó y sin decir nada barrió todo el gimnasio.

Al día siguiente, Gervasio le preguntó al Dr. Muerte si podía entrar al ring con los otros. El Dr. Muerte le dio un trapeador.

Gervasio lo tomó sin decir una sola palabra y limpió todas las esquinas del piso de aquel viejo gimnasio.

Un día después, Gervasio volvió a preguntarle al Dr. Muerte si podía entrenar un poco con él. El Dr. Muerte le entregó una esponja. Gervasio la tomó tranquilamente y con una sonrisa en la cara limpió cada ventana y espejo del gimnasio.

El día siguiente, sin decir palabra, el Dr. Muerte invitó a Gervasio al ring.

hold and all of the high-risk maneuvers.

He taught them how to strike convincingly without hurting their opponents and how to fall convincingly without hurting themselves. Dr. Muerte dedicated his life to passing on the traditions of the graceful art form that was known to many, simply, as the *lucha*.

Gervasio and Jeronimo were among a small handful of neighborhood kids who got to watch the matches and the training as a reward for sweeping out the locker room or taking the garbage down to the dumpster in the alley.

The boys were always quick to do their work so they could get a ringside seat. They didn't want to miss a thing.

Young men and a few women from all over Chicago came to work with Dr. Muerte. There were even guys from other neighborhoods who had their own teachers. They preferred Dr. Muerte.

After months of watching Dr. Muerte work with the older luchadors—Gervasio got up the nerve to ask for his chance to get into the ring.

Dr. Muerte looked at the skinny boy and handed him a broom. Gervasio took the broom and without saying a word, swept the entire gym.

The next day Gervasio approached Dr. Muerte and asked if could get into the ring with the others. Dr. Muerte handed Gervasio a mop.

Gervasio took the mop, without saying a word, and mopped every inch of the floor in the old gymnasium.

The following day Gervasio approached Dr. Muerte and asked again about getting some training. Dr. Muerte handed the young boy a squeegee. Gervasio took it quietly, but with a great smile, and cleaned every window and mirror in the gymnasium.

The next day, without saying a word—Dr. Muerte invited Gervasio into the ring.

Four

Gervasio quickly rose through the ranks of the young luchadors. He mastered so many moves so quickly Dr. Muerte had to slow down his training regimen.

"Run!" the mentor would say to the student.

And Gervasio would run laps around the gym without stopping. The sweat burned his eyes, but he didn't stop until Dr. Muerte told him to stop.

"You must build your lung capacity," Dr. Muerte would say.

"Yes, sir," Gervasio would reply through gasps for breath.

Cuatro

Gervasio fue ascendiendo rápidamente entre las filas de los jóvenes luchadores. Perfeccionó tantas jugadas tan bien y tan rápido que el Dr. Muerte tuvo que atrasar su programa de entrenamiento.

«¡Corre!», le decía el mentor a su alumno.

Gervasio daba vueltas al gimnasio sin parar. El sudor le quemaba los ojos, pero no paraba hasta que el Dr. Muerte se lo ordenara.

«Necesitas aumentar tu capacidad pulmonar», decía el Dr. Muerte.

«Sí, señor», respondía Gervasio mientras tomaba aire.

Después de correr, Gervasio entraba al ring y empezaba a ensayar patadas y huidas. Le encantaban las maniobras en las cuales volaba por el techo, las mismas que lo condujeron a esta vida desde un principio.

De pronto Gervasio ya no tenía tiempo para sus amigos. Estaba tan concentrado en su propio entrenamiento que ni siquiera se dio cuenta cuando Jerónimo dejó de acudir al gimnasio. Jerónimo había descubierto lo que le hacía feliz y no eran las luchas, sino la música y las chicas. A él tampoco pareció importarle que Gervasio no lo extrañara. Ya habría tiempo para reuniones más adelante, pero por ahora, los dos amigos habían tomado rumbos distintos.

After the running, Gervasio would enter the ring and begin to work on holds and kicks and escapes. He especially loved the high-flying maneuvers that drew him to this life in the first place.

Suddenly Gervasio didn't have much time for his friends anymore. He was so focused on his own workout that he didn't even notice Jeronimo stopped coming to the gym. Jeronimo discovered the two things that made him the happiest and neither was wrestling.

Jeronimo had discovered girls and music. It didn't even bother him that Gervasio didn't seem to miss him. He was carving out his own life and Gervasio had to carve out his. There would be time for reuniting later, but for now the two friends took separate paths.

Five

There was a small golden box on the night stand when Gervasio woke up on his birthday. He wouldn't have even noticed the box except for the shimmery ribbon which reflected the sun cutting through the window.

He opened the box and was surprised to see a fine gold chain with a medal. He looked at the kindly face of San Judas on the medal and knew right away that it came from his grandmother. He also knew that this medal would be with him for a long time to come.

He slipped he chain over his head. He kissed the medal before

Cinco

El día de su cumpleaños, Gervasio encontró una pequeña caja dorada junto a su buró. No se habría dado cuenta de la caja a no ser por el reluciente listón que brillaba con el sol de la ventana.

Abrió la caja y se encontró con una cadena de oro y una medalla con la cara de San Judas. Entonces supo que era un regalo de su abuela. Se imaginó que llevaría consigo esta medalla durante mucho tiempo.

Se puso la cadena y la besó antes de dejarla caer sobre su pecho.

Tomó aire profundamente dos veces antes de bajar a desayunar. Las gotas de lluvia que golpeaban la ventana no lo detendrían para ir al gimnasio.

El Dr. Muerte siempre le pedía dar vueltas al gimnasio como parte de su entrenamiento. La mejor manera de ser bueno en las luchas es tener buenos pulmones; de no estar en forma era casi seguro que perdería las partidas.

A Gervasio no le importaba. Le gustaba dar vueltas, sudar y así formar parte de la historia de aquel viejo gimnasio. Siempre corría solo porque quería concentrarse en la tarea y no distraerse.

Acompañando sus pasos al compás de la lluvia, Gervasio tarareaba para no perder el ritmo al correr.

Tan concentrado estaba en el asunto que no se percató de que el Dr. Muerte estaba parado en la entrada de su oficina, pero lo observaba al correr. Dejó entrever una sonrisa por debajo de la máscara y finalmente salió para saludar a Gervasio.

«Gervasio, ¿crees estar listo para tu primera lucha?», preguntó el maestro.

«Sí, jefe» respondió el joven. «Claro que sí».

«Has sido invitado a luchar en el V.F.W Hall dentro de diez días. ¿Estarás listo para entonces?»

«Yo creo que sí», dijo Gervasio mientras se hacía más alto al responder. Hizo todo lo que pudo para contener su emoción.

El Dr. Muerte sabía que Gervasio estaba emocionado. Sonrío consigo mismo porque le recordaba a su primera lucha.

«Te enfrentarás a otro joven luchador que es una gran promesa» agregó el Dr. Muerte.

«¿Es esta su primera lucha?» preguntó Gervasio.

«¿Eso importa?» replicó.

«Pues solo es para saber si hacerle la vida difícil o no», añadió el chico al final.

Al Dr. Muerte le impresionó mucho este comentario. Volvió a su oficina sacudiendo la cabeza. Quizá esto no había sido tan buena

letting it fall to his chest.

Gervasio took a long, deep breath followed by a longer, deeper stretch before going down to breakfast. The raindrops slapping against the windows of his home would not stop him from getting to the gym.

Dr. Muerte expected him to do laps around the gym every single day of his training. The best way to win the lucha is to have strong lungs. The best way to lose the lucha is not to be in wrestling condition.

Gervasio didn't mind. He looked forward to running laps and breathing in the sweat and the generations of history of the old gym. He always ran alone because he wanted to focus on the task of running. He never wanted to be distracted.

Setting his feet to the rhythm of the falling rain, Gervasio got a healthy pace going. He hummed to himself with each step.

He was so consumed with his activity that he didn't see Dr. Muerte standing in the doorway of his office. Dr. Muerte watched Gervasio run. A smile stretched across his face under his mask. Finally, he stepped out of the doorway and waved Gervasio over.

"Gervasio, do you think you are ready for your first match?" the mentor asked.

"Si, *Jefe*," the younger man responded. "Yes."

"You've been invited to wrestle at the V.F.W. Hall in ten days. Can you be ready in ten days?"

"I believe I can," Gervasio said standing taller as he spoke. He did all he could to control his excitement.

Dr. Muerte knew he was excited. He smiled to himself as he remembered his first lucha.

"You will be facing another young luchador with much to prove," Dr. Muerte said.

"Is this his first match?" Gervasio asked.

"Does that make a difference?"

"I just want to know how easy I should go on him," Gervasio

idea, pensó.

Gervasio lo vio alejarse. Sus rodillas le temblaban y se le secó la boca. Con mucho esfuerzo, caminó hacia la oficina y se detuvo en la puerta al bajar la cabeza.

«Lo siento, jefe» dijo en silencio. «Me emocioné y me olvidé de quién soy por un momento».

«Eres un buen chico» agregó el Dr. Muerte. «Eres un muy buen joven, Gervasio».

A Gervasio le volvió el aire y suspiró de tranquilidad.

«Solo concéntrate y no te dejes vencer por tu adversario. Dentro de diez días lo conocerás. Solamente debes estar listo; eso es todo»

«Así será, señor» dijo al levantar la cabeza. «Así será»

«Claro que así será» añadió su mentor. «Ahora vuelve a correr. Voy a firmar los papeles y a alistar todo»

«Gracias, señor» contestó el joven. Se volteó con un pie y se echó a correr con toda la energía y entusiasmo.

El Dr. Muerte alzó el teléfono y marcó algunos números. Sus dedos se guiaban al ritmo de la lluvia que caía y golpeaba la ventana.

said.

Dr. Muerte was puzzled at the boy's statement. He walked back to the office shaking his head. Maybe this wasn't such a good idea after all, he thought to himself.

Gervasio stood and watched him walk away. His knees suddenly went weak and his mouth went completely dry. With great effort Gervasio walked towards the office, stopping at the door. His head was down.

"I'm sorry, *Jefe*," he said quietly. "I just got too excited. I forgot myself for a moment."

"You're a good boy," Dr. Muerte started. Then he stopped. "You're a good young *man*, Gervasio."

Gervasio breathed another sigh of relief.

"Stay focused on yourself and don't worry about your opponent. In ten days, you will meet him. Just be ready when you do."

"I will, sir," he said finally lifting his head. "I will."

"Of course, you will," his mentor said. "Now get back to running. I will sign the papers and put everything in order."

"Thank you, sir," the young man said. He pivoted on his foot and took off running with renewed energy and enthusiasm.

Dr. Muerte picked up the phone and punched a few numbers. His fingers were guided by the rhythm of the falling rain slapping against the window.

Six

Dr. Muerte called Gervasio into his office. The young luchador was reluctant to stop his training, but he always did what Dr. Muerte told him.

"Yes, *Jefe,*" he asked.

"Sit down, Gervasio," Dr, Muerte said firmly.

Gervasio sat down without saying a word.

"Son," Dr. Muerte started slowly "your time has come. You will receive your name and your mask today. Once you leave this room absolutely no one is to see you without the mask. Your identity will

Seis

El Dr. Muerte llamó a Gervasio a su oficina. El joven luchador no quería dejar de entrenar, pero siempre hacía lo que el Dr. Muerte le pedía.

«¿Sí, jefe?» preguntó.

«Siéntate, Gervasio» dijo el Dr. Muerte con firmeza.

Gervasio se sentó sin decir palabra.

«Hijo», empezó el Dr. Muerte, «Tu tiempo ha llegado. Estás por recibir tu nombre y tu máscara. Hoy, cuando salgas de esta oficina, nadie, absolutamente nadie debe verte en público sin ella. Esta

máscara ocultará tu identidad. Nunca debes quitártela cuando estés en público».

Gervasio no dejaba de observar al Dr. Muerte. Lo miraba con asombro mientras aquel gran hombre caminaba en dirección a la sedosa bolsa azul del librero.

«El águila es un elemento muy importante en nuestra cultura. De ahora en adelante, todos te conocerán como Águila Azul».

Gervasio estaba temblando cuando se levantó para recibir su máscara.

«Debes portar esta máscara con respeto hacia tu familia y tus orígenes. Nunca debes faltarle al respeto» le dijo.

«Entendido» fue todo lo que Gervasio pudo decir.

Se puso la máscara sobre la cabeza y en aquel momento se dio cuenta de que había trabajado muchísimo para conseguir esto. También supo que llevarla era una responsabilidad de lo más importante. Su vida cambiaría a partir de ese día. Gervasio era el pasado; Águila Azul, el futuro.

«Luces magnífico, Águila» dijo el Dr. Muerte.

«Gracias, jefe» balbuceó el joven luchador. «Muchas gracias»

be hidden by this mask. You must never remove it in public."

Gervasio couldn't take his eyes off of Dr. Muerte. He watched in amazement as the great man walked toward the silky blue bag on the bookshelf.

"The eagle is an important element of our culture. From hence forward you will be known as Aguila Azul—Blue Eagle."

Gervasio was trembling when he stood up to receive the mask.

"You must wear this mask with respect for yourself and your family and your heritage. You must never disrespect this mask," he said.

"I understand," was all Gervasio said quietly.

He pulled the mask over his face and at that moment he realized what he had worked so hard to achieve was in his grasp. He also realized what an important responsibility it was to wear the mask. He knew his life was changing forever that day. Gervasio was his past, Aguila Azul was his future.

"You look magnificent, Aguila," Dr. Muerte said

"Gracias, *Jefe*," the young luchador said. "Gracias."

Seven

Gervasio sat on the locker room bench alone, wondering. He wondered whether his grandmother had a good seat and he wondered whether Dr. Muerte was going to come in and give him a pep talk.

Outside and surrounding the ring—the atmosphere was festive. People were banging on drums and chanting familiar taunts to show where their loyalties were.

"RUDO! RUDO!"

"TECNICO! TECNICO!"

Siete

Gervasio se sentó solo en la banca del casillero. Se preguntaba si su abuela habría conseguido un buen asiento; no sabía si el Dr. Muerte vendría a darle un discurso previo.

Afuera, alrededor del ring, la atmósfera estaba de fiesta. La gente tocaba tambores y dejaba en claro dónde recaían sus lealtades.

«¡Rudo! ¡rudo!».

«Técnico, ¡técnico!».

Los demás hacían sonar matracas y llenaban el lugar con su estruendoso sonido.

Se repartían churros, nachos y paletas Payaso de malvavisco. Esas no les daban miedo a los niños.

Los niños corrían en círculo por el ring con sus máscaras de luchador que les quedaban por los hombros. Las abuelitas sostenían bebés en sus brazos y alentaban a sus favoritos.

La abuela de Gervasio se sentó cerca del ring para tener una buena vista, pero no muy cerca; si no, los luchadores podrían lastimarla al momento de salir volando a través de las redes.

Mientras tanto, en los casilleros, los otros luchadores iban y venían. Se golpeaban las manos, bromeaban y reían con los mismos hombres con quienes habían compartido el ring. Lejos de las multitudes, los luchadores dejaban sus rivalidades en aquel cuadrilátero. Lo que sucedía a puerta cerrada era asunto de cada quién.

«¿Primera vez?» preguntó una voz a lo lejos.

Gervasio volteó. Frente a él estaba un enorme sujeto que portaba una hermosa máscara roja con negro, acabados de oro y una cresta en la punta.

«Sí» advirtió Gervasio.

«No tengas miedo» le dijo el hombre. «Confía en ti y en tu entrenamiento».

«Así lo haré, señor, gracias» respondió.

«Lo más importante es que confíes en tu adversario en el ring. Sigue sus movimientos que él seguirá los tuyos. Cuídense el uno al otro» dijo el hombre en tono solemne.

Antes de que pudiera responder, el Dr. Muerte entró a los casilleros. Miró al hombre que estaba hablando con Gervasio y aceleró el paso.

«¡Señor Rodríguez!» dijo el Dr. Muerte con firmeza.

«Señor Muerte» le respondió.

«Querrás decir DOCTOR Muerte».

«Como quieras, viejo» aseveró el hombre.

Ambos quedaron mirándose fijamente durante un momento con enojo en sus ojos.

Other people spun matracas, filling the gymnasium with a ratcheting sound.

Churros and nachos were being served as well as the marshmallow payasos—one type of clown no child could fear.

Children ran around the ring laughing—their oversized luchador masks flopping around their heads and shoulders. Grandmothers held babies in their arms and cheered.

Gervasio's grandmother sat close enough to get a good look at the action, but not so close that she might get hit when the luchadors—in all their high-flying bravado—came over the top rope and out onto the floor.

Back in the locker room other luchadors wandered back and forth stretching and taping their hands—some joking and laughing with the same men they had just been in the ring with. Away from the crowd, most of the men left their feuds in the squared circle. Their lives behind the curtain were their own.

"First time in the ring?" a voice from behind him asked.

Gervasio turned around and saw a monster of a man with a beautiful red mask with black and gold trim and a fin on top.

"Si," Gervasio said.

"Don't be afraid," the man said. "Trust yourself and trust your training."

"I will, sir, thank you," he said.

"Most important: trust the man in the ring with you. Sell his moves and he'll sell yours. Keep each other safe," the man said solemnly

Before he could respond, Dr. Muerte entered the locker room. He saw the man who was talking to Gervasio and he accelerated his pace.

"Senior Rodriguez," Dr. Muerte said firmly.

"Mr. Muerte," the man responded.

"I think you mean Dr. Muerte."

"Whatever you say, old man," the other man said.

«Disfruta tu noche, chico» agregó Jabalí Junior Rodríguez. «Revive cada momento»

Se volteó hasta alejarse por completo.

«Lo siento, jefe» dijo Gervasio.

«No tienes nada de qué disculparte, Gervasio» dijo el Dr. Muerte. «¿Ya estás listo?»

«Ya, señor»

«Ese hombre te dio un buen consejo, pero te pido que seas cuidadoso. La gente no siempre tendrá en cuenta tu bienestar»

«Entendido» agregó Gervasio.

«¡Ahora ve y disfruta la lucha!»

Gervasio se puso de pie lentamente. Se tomó un momento para mirar al cielo y dar gracias antes de dirigirse a las luces del ring.

The two men glared at each other for a moment—the anger burning in their dark eyes.

"Enjoy your night, young man," Jabali Junior Rodriguez said. "Relish each moment." Then he backed away a few steps before turning around and walking away.

"I'm sorry, *Jefe*," Gervasio said.

"There is no need to be sorry, Gervasio," Dr. Muerte said. "Are you ready to go?"

"I am, sir."

"That man gave you good advice this time," Dr. Muerte continued. "I do ask that you be careful. Not everyone has your best interests in mind."

"I understand," Gervasio said.

"Now go and enjoy the lucha!"

Gervasio stood up slowly. He took a minute to look up and give thanks before heading toward the runway leading to the bright lights of the ring.

Eight

Thiago was lost without his brother and his friend. He healed quickly, but he couldn't seem to keep up with the training he'd need to compete as a luchador. He watched his brother Jeronimo get swept up by the music people and Gervasio—well he was long gone.

There was little left for Thiago to do. He took long walks every evening—alone. He always walked alone, so that he wouldn't be distracted. He wanted to think about his future. He was so used to chasing Jeronimo and Gervasio around and suddenly he felt lost. He

Ocho

Thiago se sentía perdido sin su hermano y amigo. Había sanado rápidamente, pero en realidad no pudo con la carga de los entrenamientos para convertirse en luchador. Vio cómo su hermano se enfrascó en el mundo de la música y Gervasio, bueno, él ya ni siquiera figuraba en el panorama.

De pronto ya no tenía mucho que hacer. Salía a caminar todas las noches, aunque solo. Siempre caminaba solo para que nadie lo distrajera. Tenía que pensar en su futuro. Estaba tan acostumbrado a la compañía de Gervasio y Jerónimo que de repente el mundo parecía ser demasiado grande para él.

Durante una de sus caminatas, Thiago decidió tomar un atajo cerca de una obra en construcción atrás de la Academia Little Village. Se encontró con algunas latas de pintura vacías. Las recogió, las tomó por las asas metálicas y empezó a mecerlas de atrás a adelante mientras caminaba. También halló en aquel lugar pedazos de cemento y los colocó en las latas de pintura.

Agarró un pedazo y luego otro en medio de aquel montón de concreto partido, escogiendo los que más le gustaban y arrojándolos en las latas. Las llenó completamente, hasta reventar.

Cuando se disponía a volver a casa, las latas estaban tan pesadas que le costó mucho trabajo levantarlas. Pero pudo transportarlas hasta su hogar. Al llegar, subió a su cuarto y los brazos le dolían después de levantar el peso de las latas, aunque no le importó. Disfrutaba la sensación de haber hecho algo por y para él mismo.

Se echó en la cama y el sueño lo venció. Soñó que al levantar aquellas latas llenas se pondría en forma. Se sentaría en una silla y las levantaría con los pies. Después lo haría con los brazos extendidos, tomando una de cada lado y luego lo mismo a la altura de su pecho.

Utilizaría aquellas latas para poner su cuerpo en forma, para que, cuando llegara el momento de entrenar para ser luchador, estuviera en mejor condición física que cualquiera de los que iban al gimnasio, o en mejor condición que nadie más.

felt like the world might be too big for him.

On one long walk Thiago decided to cut through a construction site behind the Little Village Academy. It was there that he found some empty paint cans. He picked them up by their thin metal handles and began to swing them back and forth as he walked. He also found, as he moved through the cluttered site, a pile of chunks of cement. He began to pick up the chunks and put them in his paint cans.

He grabbed one chunk, then another, scuttling across the pile of broken concrete, picking the ones that he liked and putting them in his paint cans. He filled each can with as much as it would hold.

When he was done and ready to go home, he had filled them so full he had trouble lifting the cans. He did lift them and eventually hauled them all the way home. When he got up his room, his arms burned from the weight of the cement in the paint cans. Thiago didn't mind. He liked how it felt. He liked how he did something all by himself. He did something for himself—by himself.

He dropped onto his bed and soon was sleeping, dreaming about how he would use those paint cans to get into condition. He would sit in a chair and lift them with his feet. He would hold them at his sides and lift them with his arms extended. He would hold them out in front of his chest and curl them.

He would use those cans to build a strong solid body. When the day came that he was able to actually train as a luchador he would be in better condition than any of the others in any gym—anywhere.

Nine

The man they all called Señor Grande stood in the center of the ring. His hair was so black it shone blue in the lights. His tuxedo was pressed with the greatest of care. He stood like a military man—at ease—with his hands behind his back.

Señor Grande smiled at the families who were finding their seats and preparing for the lucha. He waved to the people on the side of the ring who cheered for the tecnicos. He gave a firm but gentle wave of his long slender finger to those cheering for the rudos.

When he got the cue from the man behind the sound system—he

Nueve

El hombre a quien llamaban el Señor Grande se colocó en el centro del ring. Su cabello era tan negro que parecía azul al brillar con las luces. Su esmoquin estaba planchado con mucho cuidado. Parecía un militar, de pie, muy a gusto con sus manos detrás.

El Señor Grande sonreía a todas las familias mientras ocupaban sus asientos y se preparaban para el espectáculo. Saludaba a los que les iban a los técnicos y a quienes les iban a los rudos; meneaba su dedo.

Al recibir la instrucción del hombre que controlaba el sonido, levantaba su micrófono. Aguardaba hasta que el lugar estuviera en silencio antes de hablar. Su voz grave y poderosa llenaba aquella arena como si se tratara del trueno que anuncia una tormenta.

«Damas y caballeros...Sean bienvenidos a otra gran noche de lucha libre. Pasemos a lo importante de una buena vez. Presentando por primera vez a este novato del gimnasio del Dr. Muerte, el orgullo de Little Village, con ustedes, Águila A-zuuuuul».

Todo el mundo aplaudió. Los niños gritaban su nombre lo más fuerte que podían. Estaba lleno de emoción. Gervasio había luchado tanto por esto y esa noche era su gran oportunidad.

Había una niña vestida de blanco en primera fila y junto a ella estaba su mejor amiga, vestida de negro.

«He escuchado que Águila Azul está aún en la preparatoria», dijo la niña de blanco.

«Entonces todavía hay esperanza para ti», respondió la otra.

«¿Te refieres a nosotras?»

«Claro», fue la respuesta.

En el casillero, a Gervasio se le revolvía el estómago hasta que el Dr. Muerte le dio un pequeño empujón para que saliera por las cortinas de lentejuelas.

Águila Azul salió corriendo hacia las luces del ring. Su capa volaba como si fuera un superhéroe en acción. A todos les impresionó la soltura y elegancia de este joven y desconocido luchador.

De un solo salto, se lanzó al cuadrilátero. Esperaba caer al centro, pero fue ahí cuando su capa se atoró con el tensor. Su cuerpo voló, pero su capa no. Como estaba atrapada, lo jaló hacia atrás y lo estrelló contra las cuerdas de protección.

Sus pies se enredaron; su orgullo estaba por los suelos. Águila Azul quedó atrapado ahí hasta que uno de los réferis lo auxilió.

La lucha como tal fue un asunto confuso, rápido y borroso. Águila Azul seguía muy avergonzado y antes de que pudiera hacer cualquier otra cosa, lo tumbaron al suelo.

slowly lifted the microphone to his face. He waited until everyone was quiet before he began to speak. His rich, powerful voice filled the room like rolling thunder before a summer storm.

"Ladies and gentlemen... Welcome to another night of exciting lucha libre. Let's get things started without delay. Introducing the newcomer.... wrestling out of Dr. Muerte's gym...the pride of the Little Village... our very own... Aguila Azu-u-u-ul!"

The crowd cheered. The children yelled his name as loud as they could. For a brief moment, he was caught up in the excitement. This was what he had worked his entire life for. Now it was before him.

A young girl—dressed in white sat in the front row. Next to her was her best friend who was dressed entirely in black.

"I hear Aguila Azul is still in high school," the girl dressed in white said.

"That means there is hope for you, yet," the other girl said.

"Don't you mean us?"

"Yeah. Of course," was the reply.

Back in the locker room, Gervasio's stomach did one massive flip before Dr. Muerte nudged him and he broke through the sequined curtains.

Aguila Azul ran full speed into the hot bright lights of the ring. His cape unfurled behind him like a superhero in flight. People gasped at the form and grace of this young unknown luchador.

With one smooth jump he launched himself up onto the ring apron and pulled himself over. He had every intention of maintaining his arc as he flung himself over the top rope. That was when his cape, now slightly less furled, caught the turnbuckle.

As Aguila Azul's body took flight his cape, sadly, did not. It snapped back dragging him with it and slamming him into the ropes.

His feet were tangled and his pride was crushed. Aguila Azul hung there in the ropes for a moment before the referee decided to help him out.

The lucha was a blur—a very fast blur. Aguila Azul, still stinging

El Dr. Muerte entendió. Después de la lucha, se sentó en una de las bancas mientras veía al joven llorar. Los dos prometieron ahí que esto no volvería a suceder. Puede que Águila Azul perdiera una lucha, pero nunca jamás su dignidad.

with embarrassment, was pinned to the mat before he really even broke sweat.

Dr. Muerte understood. After the match, he sat quietly on the bench while the young man cried. They both vowed right there that this would never happen again. Aguila Azul might lose a lucha, but he would never lose his dignity again.

Ten

After the debacle that was Aguila Azul's entrance into the ring at his debut match, he decided he needed something to help him fly. His grandmother, in her infinite wisdom, decided to do what only a grandmother of a luchador could do: she made him a new shorter cape. This time made from a lighter-weight material which flowed like a plume of blue feathers as he ran down the aisle leading to the ring.

His next opponent would be a Mexican luchador who called himself El Gato. El Gato had more experience in the ring than Aguila

Diez

Después de aquel desastre, Águila Azul se dio cuenta de que necesitaba algo que lo hiciera volar por los aires. Su abuela, siempre tan sabia, decidió hacerle una capa más corta. Esta vez la hizo con una tela más ligera para que se deslizara fácilmente, como el ala de un ave, mientras su nieto entrara corriendo desde el pasillo hasta el ring.

Su próximo adversario sería un luchador mexicano a quien llamaban El Gato. El Gato era más experimentado que Águila Azul, pero no entrenaba tanto como él. Creía que su apariencia vistosa y su disfraz flamante eran suficientes para asombrar a los aficionados.

Pero la táctica no siempre le funcionaba y entonces recurría a la trampa. Si esto no lo ponía en ventaja, simplemente rompía las reglas. Tenía un buen récord de lucha, pero le habría ayudado más entrenar y perfeccionar las jugadas importantes, especialmente las que aparecían al final de la lucha.

A él le bastaba pensar que los gatos tienen nueve vidas. Pero Águila Azul tenía solo una, así que la aprovechaba al máximo.

Entrenaba mucho y practicaba y así logró estar listo para aquel momento, pues había varias formas de desollar a un gato.

Azul, but he wasn't as serious about conditioning. El Gato counted on his flashy ring presence and his shiny costume to get the fans behind him.

When the fans weren't buying his routine, he resorted to playing fast and loose with the rules. And if that didn't put him over—he just cheated. He had a decent record, but he would have served himself better if he worked on conditioning and mastering the important moves, especially a finishing move.

The idea that a gato has nine lives seemed enough for him. Aguila Azul only had one life, so he made the most of it.

He trained and practiced and was ready when the time came. He knew there was more than one way to skin a *gato*.

Eleven

As fast as Dr. Muerte could line up matches for Aguila Azul, the young luchador pinned them to the mat with his combination of skill and determination.

Following his grandmother's wishes he stayed focused on school and maintained good grades. His grandmother was a big fan of his wrestling, but she was a bigger fan of watching him walk down the aisle and get his diploma on time with his class.

His first match after El Gato was with a visiting luchador called Kid Puma. Kid came from Naucalpan, Mexico, and it didn't take long

Once

El Dr. Muerte tuvo oportunidad de conseguir varias luchas para Águila Azul y el joven luchador actuó con destreza y determinación en todas ellas.

De acuerdo con los deseos de su abuela, también se concentró en la escuela y en obtener buenas calificaciones. Aunque a su abuela le encantaba verlo luchar, le gustó mucho más verlo caminar por los pasillos de la escuela cuando se graduó de la preparatoria con todos sus compañeros.

Después de enfrentarse a El Gato, su próximo adversario fue un luchador visitante llamado Kid Puma. Era originario de Naucalpan, México, y a Águila Azul no le costó trabajo dominarlo en el aquel cuadrilátero de Chicago.

Luego luchó contra Noche de Terror, un hombre bajito y corpulento que usaba un traje negro brillante. Águila Azul le aplicó "la tapatía", jugada que todos conocían como la tabla de surf mexicana. Esta movida lo dejó suspendido en el aire hasta acabar el encuentro.

Después era el turno de El Pesadilla, quien descubrió más bien que su pesadilla sería luchar contra Águila Azul.

Muy pronto, todos conocieron el poder de Águila Azul y todos tenían ganas de enfrentarlo en el ring.

Jabalí Junior Rodríguez sabía todo sobre Águila Azul y el Dr. Muerte y, por lo tanto, se concentró en hacer perder al chico frente al público de su propio barrio. Aunque no sería él quien lo retara en el ring, sí podía preparar a su protegido, Libélula, para que así fuera.

De esta forma, Jabalí ideó un plan para vengarse del Dr. Muerte una última vez.

for Aguila Azul to pin him in the center of the ring in Chicago.

Next he faced Noche de Terror, a short, stocky man dressed in shiny black ring wear. Aguila Azul twisted him into La Tapatia also known as the Mexican Surfboard. This move held Noche de Terror suspended in the air until he tapped out ending the match.

Then came Los Pesadilla who discovered Aguila Azul was *his* nightmare. Aguila Azul was focused and conditioned. Los Pesadilla was sleepy and out of his league. The pin was quick and merciful.

Soon everyone knew about Aguila Azul and everyone wanted their chance to meet him in the ring.

Jabali Junior Rodriguez knew all about Aguila Azul and Dr. Muerte and he set his focus on getting the kid into the ring and pinning him in front of his hometown crowd. He knew he couldn't get into the ring with him, but he felt he could prepare his new protégé the Dragonfly to do his bidding.

Jabali formed a plan that would help him to get revenge on Dr. Muerte, one final time.

Twelve

Thiago sat alone in the gym waiting to be told what to do. It wasn't that he was lazy or lacked motivation, he was just afraid to do something his mentor didn't approve of.

For this reason, he sat with his elbows on his knees and his head hanging low. He was not in a place of pride. In fact, he was at a place that was the exact opposite. He missed his brother and he missed Gervasio. Thiago didn't laugh much anymore. He did condition training that kept him tired and sluggish and he did lucha training until he couldn't think of anything else.

Doce

Thiago estaba sentado solo en la banca del gimnasio esperando que le dijeran qué hacer. No era flojo ni tampoco es que tuviera poca motivación. Solo tenía miedo de hacer algo que no le fuera a agradar a su mentor.

Por esta razón, solía sentarse con los codos en las rodillas, cabizbajo. No se sentía orgulloso, sino todo lo contrario. Extrañaba a su hermano y a Gervasio. Ya no reía tanto. Se dedicaba a entrenar y terminaba cansado y desganado y, cuando entrenaba, no tenía cabeza para otra cosa.

Le creyó a Jabalí cuando le dijo que reír era un signo de debilidad.

«La debilidad es lo primero que te hará retroceder en tu carrera», le mencionó.

Una semana antes, su mentor lo presentaba con su nueva máscara e identidad.

«Mira, ten», dijo Jabalí mientras le arrojaba una manta de tela ligera a Thiago. «De ahora en adelante serás El Libélula».

«Si crees que es lo mejor» mencionó Thiago.

«La máscara estaba en rebaja y tengo que darte una máscara. No tuve que gastar mucho dinero».

«¿Así que esta máscara es…?».

«Tuya. Tú eres El Libélula. ¡Ponte contento!».

Libélula estaba sentado. Una pequeña gota de sudor recorrió su nariz y cayó sobre el cemento entre sus pies. Quizá era una lágrima, pero prefería creer que era sudor. Si la risa es debilidad, ¿qué significa llorar?

He believed Jabali Junior Rodriguez when he said laughing was a sign of weakness.

"Weakness was the first step in the end of your career," he said.

A week earlier his mentor presented him with his mask and his new identity.

"Here," Jabali Junior Rodriguez said throwing a piece of thin material to Thiago. "You're going to be called Dragonfly from now on!"

"If you think it's best," Thiago said.

"The mask was on sale. I have to give you a mask. I don't have to spend a lot of money on it."

"So, this mask is..."

"Yours. You are the Dragonfly! Embrace it."

Now the Dragonfly sat. One lonely drop of sweat fell from his nose and splashed on the cement between his feet. It might have been a tear but he had to believe it was sweat. If laughter is weakness—what is crying?

Thirteen

Jeronimo was starting to get the attention of people who planned events. These are the people who rented the halls and booked the caterers and hired the DJs for their parties.

At first Jeronimo was not all that excited to be playing weddings and school dances but he couldn't pass up the money. The money afforded him newer and better equipment which made him sound better. The better you sounded, the more work you got.

He was stuck in a solid groove, like a needle on a record—one long sustained groove.

Trece

Jerónimo comenzaba a captar la atención de la gente que planeaba eventos, la gente que alquilaba los salones y trabajaba en el negocio de comidas para eventos; la que contrataba a los DJ para las fiestas.

Al principio, a Jerónimo no le hacía nada de gracia tener que tocar en bodas o bailes escolares, pero significaba dinero, así que no podía dejar pasar esas oportunidades. Con el dinero pudo comprar nuevos y mejores equipos que hacían que su música sonara mejor. Cuanto mejor sonaras, más trabajo y oportunidades había.

Su ritmo era bastante bueno. Un día, de camino a Cesar's Music en el centro comercial, observó un póster muy colorido que anunciaba un evento de lucha libre el fin de semana. Entre el repertorio reconoció la medalla de oro de San Judas que colgaba del cuello de uno de los luchadores. Se trataba de su viejo amigo, Gervasio, que ahora llevaba el nombre de Águila Azul. Jerónimo sintió un cosquilleo en el estómago. Quizá era nostalgia o podría ser la salsa de pico de gallo que le puso a su almuerzo.

Revisó la fecha del evento, pero se dio cuenta de que esa noche tenía su calendario lleno. Uno de los concejales del barrio lo había contratado para tocar en la fiesta de quince años de su hija y era una oportunidad muy buena que no podía rechazar. Si su música gustaba, entonces podrían contratarlo a menudo. Entró a la tienda y se dirigió a la caja.

«Oye, César», dijo Jerónimo «¿Quién puso ese cartel en la ventana?»

«Unos tipos vinieron a dejarlo», respondió César. «Un grandulón con máscara azul y uno más joven con una máscara morada. Sé que el grandote es el Dr. Muerte, pero no sé quién sea el joven...»

«Qué lástima que no lo alcancé» pensó Jerónimo.

Le entregó el dinero a César y se acomodó su nuevo micrófono bajo el brazo.

«Gracias» le dijo. Al salir de la tienda, miró el póster una vez más.

He was on his way to Cesar's Music in the plaza to buy a new microphone when he saw brightly colored poster advertising a lucha show that was going to be held that weekend. Right about the middle of the lineup he saw the familiar gold medal San Judas hanging around the neck of one of the luchadors. It was his old friend Gervasio, now Aguila Azul. Jeronimo felt a small tug in his belly. Maybe it was nostalgia. Maybe it was the pico de gallo he had had with lunch.

He checked the poster for the date then checked his calendar and as luck would have it, he was booked that night. The local alderman had booked Jeronimo for his daughter's quinceañera which was much too big a job to turn down. If he did well, he would be booked long into the future. He walked into the store and up to the counter.

"Hey, Cesar," Geronimo said. "Who put that poster in the window?"

"Dudes just left," Cesar said. "It was a big dude in a blue mask and a young dude in a purple mask. The big dude is Dr. Muerte. I don't know the young dude."

"I just missed him," Jeronimo thought to himself.

He handed Cesar the cash and tucked his new microphone under his arm.

"Thanks," he said. Walking out of the store he stopped and looked at the poster one more time.

Fourteen

Super Churro was a fan favorite. He was more about making the fans laugh and enjoy themselves than he was about putting himself over. He loved to get into the brown corduroy knickers and a tight red mask and do all his moves and make sure everyone remembers why they came to see the luchas. Super Churro usually lost, but he did so in a grand fashion after presenting a superior display of high flying lucha.

The Dragonfly was set to work with Super Churro in only his second match because Jabali Junior Rodriguez thought that the kid

Catorce

Súper Churro era uno de los favoritos de los asistentes. Le importaba más hacer reír a sus aficionados que arriesgarse a sí mismo. Le encantaba usar sus calzoncillos de pana y su ajustada máscara roja para poder hacer todas sus jugadas y recordarles a todos por qué iban a las luchas. Normalmente perdía, pero siempre lo hacía con mucha gracia tras dar un gran espectáculo.

A Libélula le tocaría enfrentarse a Súper Churro en su segunda lucha porque Jabalí consideraba que le iría bien con aquel payaso del ring. Si ganaba, podría suponer una gran oportunidad para la trayectoria del chico.

La arena estaba repleta aquella noche en que los luchadores más veteranos desafiarían a los menos famosos. En especial, el público había ido a ver el enfrentamiento entre Súper Churro y Libélula, ese joven rival de quien todos hablaban ya.

Súper Churro fue el primero en salir. Tenía un manojo de churros que repartía entre los aficionados con suerte. El último era para el réferi.

Luego entró Libélula mientras Jabalí esperaba a los costados. Intentó parecer muy fuerte y poderoso al flexionar sus músculos, pero al lado de Súper Churro no logró apantallar a nadie.

Libélula calculaba bien sus movimientos, aunque no entendía el porqué del chiste. Lo único que escuchaba eran las risas de todos.

Jabalí Jr. Rodríguez consideró que Súper Churro le había faltado el respeto a la máscara, pero vio la importancia que significaría aquel triunfo para su joven aprendiz si ganaba ese encuentro.

Los dos luchadores se rodearon cual tigres encerrados en una jaula. Libélula se movía con elegancia; Súper Churro no tanto. Cuando lograron el encontronazo, fue Súper Churro quien se aventó hacia las redes.

El contraataque tomó a El Libélula por sorpresa, quien no estaba preparado y cayó a la tarima de golpe. Se incorporó rápidamente, pero Súper Churro volvió a asediarlo de vuelta y no pudo hacer nada.

Ya para la tercera vez, Súper Churro lo tomó por la pierna y el réferi golpeó el suelo con su churro para indicar que Súper Churro era el vencedor. Levantó el brazo de Súper Churro mientras El Libélula yacía acostado en el suelo.

Tenía mucho miedo de volver al casillero porque sabía que había defraudado a Jabalí Jr. Rodríguez.

would do well against the clown of lucha. A win here could only help the kid's career.

The arena buzzed that night as famous luchadors grappled with less famous luchadors. It was a small crowd and a small card, but everyone came to see Super Churro and The Dragonfly—the younger luchador who so many people were beginning to talk about.

Super Churro came out first. He had a handful of churros that he gave to some lucky fans who were sitting close enough to reach for them. He saved the last one for the ref.

The Dragonfly came out next with Jabali Junior Rodriguez waiting in the wings. The Dragonfly tried to look intimidating by flexing his muscles, but ended up looking silly next to Super Churro.

The Dragonfly was smooth, his movements measured, but he didn't seem to be in on the joke. All he heard was the laughter.

Jabali Junior Rodriguez thought Super Churro was disrespectful to the mask, but he saw the value in the win for his young student.

The two luchadors circled each other like tigers locked in a cage. The Dragonfly moved with grace, Super Churro not so much. When they finally locked up Super Churro spun out of it quickly and threw himself against the ropes.

The slingshot return smacked Super Churro right into The Dragonfly who was unprepared. The Dragonfly hit the mat with a bang. He sprang up quickly. Super Churro catapulted himself back at him again and there was nothing he could do about it.

The third time was it. Super Churro hooked the leg and the ref slammed his churro on the mat three times and Super Churro was the winner.

The referee held Super Churro's hand in the air while The Dragonfly lay on the mat.

He was too scared to get up and go back to the locker room. He knew he had let Jabali Junior Rodriguez down.

Fifteen

Gervasio worked harder than ever and Dr. Muerte noticed this and wanted to reward the young luchador, but he had to be fair to all of the men and women he trained. He decided to throw a party and give them a chance to get to know some of the business people in the community.

They would hold an event where he could introduce the community to each luchador and each luchador would be able to introduce themselves to the community.

The first decision was whether to have it in the gym or rent a

Quince

Gervasio entrenó más que nunca. El Dr. Muerte se dio cuenta y quería recompensar al joven luchador, pero tenía que ser justo con todos los hombres y mujeres que entrenaba. Decidió hacer una fiesta para que conocieran a la gente de negocios de aquel ambiente.

Organizaría un evento para que cada uno de los luchadores se presentara con otros miembros de la comunidad.

La primera decisión era si la fiesta se iba a llevar a cabo en el gimnasio o si se alquilaría un salón. En caso de utilizar el gimnasio, los luchadores se sentirían más cómodos porque era el contexto al que estaban acostumbrados. Puede que el salón fuera un lugar más limpio, pero ahí los luchadores no mostrarían quiénes eran realmente. Así que se decidió por el gimnasio.

Fue a ver a César para rentar unas bocinas y anunciar a los luchadores y también para que hubiera música. César sugirió contratar a un joven DJ de nombre J-Ron. J-Ron era un cliente frecuente y alguien de casa.

Al Dr. Muerte le importaba apoyar a talentos locales siempre que hubiera la oportunidad. César sabía que les estaba haciendo un favor ambos y le dio el teléfono de J-Ron al Dr. Muerte.

El Dr. Muerte le llamó a J-Ron y le preguntó si estaba libre para tocar en la fiesta.

Llamó al servicio de comida y bebida. Pidió aguas de horchata y tamarindo, así como refrescos más tradicionales.

Les pidió a sus luchadores que llevaran su mejor ropa. Iba a ser una gran fiesta.

En los días previos a la fiesta, todo el mundo entrenó muy duro. Aunque intentaban concentrarse en su acondicionamiento, de lo único que hablaban era de la fiesta. Todos, menos Águila Azul.

Ni siquiera la mencionó. Solo siguió entrenando y estudiando como de costumbre.

Una mañana, el Dr. Muerte llegó primero que todos, aunque no le sorprendió que Águila Azul ya estuviera entrenando en el gimnasio. Sin embargo, el chico parecía cabizbajo, así que el Dr. Muerte decidió hablar con él.

«Buenos días, Águila» dijo el Dr. Muerte.

«Buenos días, señor» respondió.

«¿Cómo te sientes hoy?».

«Todo bien, señor» le dijo.

«¿Seguro?».

«Sí, señor».

«¿Irás a la fiesta de este sábado?» preguntó el Dr. Muerte.

hall. If they used the gym it would be closer to the environment the luchadors thrived in. If they chose a hall, it would surely be cleaner, but it would be tougher for the luchadors to show their true colors. He settled on the gym.

He went to see Cesar to rent some PA speakers to announce the luchadors and play music. Cesar suggested hiring a young DJ name J-Ron. J-Ron was regular customer and a local guy.

Dr. Muerte was a solid guy who supported neighborhood talent whenever he could. Cesar knew he was doing both of them a favor. Cesar gave Dr. Muerte DJ J-Ron's phone number.

Dr. Muerte called J-Ron and asked if he was free to work the party

He called the caterer and a volume drink distributor. He wanted horchata and tamarind, but he knew he would need more traditional soft drinks as well.

He told all of his luchadors to wear their best clothes. This is going to be an epic fiesta.

For the days leading up to the party everyone worked out even harder. They tried to stay focused on conditioning, but all they talked about was the party. All anyone could talk about was the party—everyone except Aguila Azul.

He never said a word about it. He just trained and he studied like he always did.

One morning Dr. Muerte came in early. He was not surprised that Aguila Azul was already there working out, but the kid seemed even more subdued than usual. This time Dr. Muerte approached him.

"Good morning, Eagle," Dr. Muerte said.

"Good morning, Sir," came the reply.

"How are you feeling today?"

"I feel good, Sir," the young man replied.

"Are you sure?"

"Yes, sir."

Águila Azul miró hacia abajo, meciendo los pies.

«No creo, señor» le dijo.

«Cuánto lo siento» añadió el Dr. Muerte. «¿Alguna razón en particular?»

«Es por mi abuela. Con todos los entrenamientos, ya casi no la veo, así que creo que será mejor que me quede en casa el sábado».

«¿Por qué no la invitas?» le sugirió el Dr. Muerte. «Estoy seguro de que la pasaría muy bien».

«Es que no le gustan las fiestas para nada» dijo después el chico.

Ahora era el Dr. Muerte quien estaba meciendo los pies.

«Si tú y tu abuela tienen ganas de venir, serán más que bienvenidos» le dijo lenta y suavemente para que Gervasio lo escuchara bien. «Esta noche puede significar mucho para tu carrera, pero si prefieres quedarte en el sofá con tu abuela, es tu decisión».

«Gracias, señor» le respondió, volviendo a su entrenamiento.

«Si no vas, entonces sabré si tu carrera es importante para ti no» dijo su mentor en palabras suaves pero firmes. «Muchísima gente se la pasada sentada en el sofá, pero solo unos cuantos tienen las oportunidades que te estoy dando».

El Dr. Muerte se marchó. Después de dar algunos pasos, escuchó una voz quejumbrosa detrás suyo.

«Van a burlarse de mí» le dijo Gervasio. «Quizá no en mi cara, pero se burlarán».

«¿Y eso por qué?».

«Porque todos llevarán ropa buena y cortes de cabello caros. Yo no tengo más ropa que la que llevo al ring».

Águila Azul se sentó bruscamente sobre la banca.

«No necesitas ropa buena, Águila» le dijo el Dr. Muerte. «Con que esté limpia bastará. Y estoy seguro de que tu abuela podrá ayudarte a encontrar algo para llevar puesto a la fiesta».

"Will I see you at the party on Saturday night," Dr. Muerte asked.

Aguila Azul looked down and shuffled his feet: "I don't think so, sir."

"I'm sorry to hear that," Dr. Muerte said. "Is there a reason you won't be there?"

"It's my grandmother, sir. With all of the training and all that, I hardly see her anymore. I told her I'd stick close to the house on Saturday."

"Bring her along," Dr. Muerte said. "I'm sure she'll have a great time."

"Actually, my grandmother hates parties," the boy said.

It was Dr. Muerte's turn to shuffle his feet.

"If you and your grandmother would like to come, you're welcome," he spoke slowly and softly to make sure Gervasio heard him. "This could be a big night for you and your career, but if you'd rather spend it on the couch with your grandmother that's up to you."

"Thank you, Sir," Gervasio said moving away from Dr. Muerte and back to his workout.

"If you aren't there, I'll know how serious you are about your career," the mentor said quietly but firmly. "There are millions of people sitting on couches. There only a few who get the chance I'm giving you."

Dr. Muerte turned to walk away. After a few steps he heard a plaintive voice from behind him.

"They'll laugh at me," Gervasio said. "They won't always do it to my face, but they'll laugh."

"Why would they laugh at you?"

"Because they will all be dressed in nice clothes with their expensive haircuts. I don't own any nice clothes other than my ring wear."

Aguila Azul dropped down onto the bench.

"You don't need nice clothes, *Eagle*," Dr. Muerte said. "You just need clean clothes. I'll bet your grandmother can help you find something to wear to the party."

Sixteen

The Dragonfly sat alone, once again, on the bench in front of his locker. He knew that Jabali Junior Rodriguez would not be happy with him losing. A serious luchador would be bad enough, but losing to a novelty act was unforgivable.

He couldn't even figure out what happened that resulted in him being pinned to the mat so quickly in front of all those people.

When he heard the door slam, he jerked his head up. He knew what was coming and had no desire to listen to the man scream at him.

◇◇

Dieciséis

Libélula estaba sentado de nuevo, solito, en una de las bancas frente a su casillero. Sabía que Jabalí no estaría nada contento ante su derrota. Perder ante un luchador veterano habría sido malo, pero sufrir una derrota a manos de un novato sí que era imperdonable.

Ni siquiera comprendía que era lo que había sucedido cuando lo azotaron contra el suelo en frente de toda esa gente.

Al escuchar que la puerta se cerraba, subió la cabeza. Estaba consciente de lo que vendría y no tenía nada de ganas de escuchar cómo le gritaban.

Jabalí Junior Rodríguez abrió la puerta con cuidado y se dirigió a los casilleros.

«Lo siento, maestro», empezó a decir Libélula.

«Nunca más», fue la respuesta de su mentor.

Libélula comenzó a temblar. No temía por su seguridad, pero sí estaba molesto porque defraudó al jefe.

«Así está la cosa» amenazó Jabalí. «Tendrás una pelea más. Si la ganas, seguirás trabajando conmigo, pero si vuelves a perder, se acabó»

«Entendido, maestro».

«¿En verdad?», dijo el otro gruñendo.

Libélula se incorporó y tomó sus guantes con los que practicaba levantamiento de pesas y corrió hacia el gimnasio.

Jabali Junior Rodriguez opened the door slowly and came in into the locker room.

"I'm sorry, Maestro," Dragonfly started

"No mas," came the firm reply.

Dragonfly began to tremble. He wasn't scared for his safety. He was upset for letting down the *Jefe*.

"It comes to this," Jabali Junior Rodriguez said. "I will give you one more match. If you win, I will continue to work with you. If you lose, I will be done with you."

"I understand, Maestro" The Dragonfly said.

"Do you?" the big man scowled as he walked out of the door.

The Dragonfly jumped up and grabbed his weightlifting gloves and ran to the gym.

Seventeen

The year was 1999. The lucha was going through a lull in popularity. There were a few promotions here and there, but there was barely enough work to keep all of the luchadors employed.

There was a fairly steady show just outside Chicago in a place called the Cicero Stadium. Many of the local luchadors fought there, but they needed a headliner.

The hometown hero was a luchador who was known throughout the country and down into Mexico. His name was Dr. Muerte.

Diecisete

Era el año de 1999 y la lucha crecía en popularidad. Había algunos ascensos, pero lo cierto es que el trabajo apenas era suficiente para mantener activos a todos los luchadores.

En las afueras de Chicago, siempre había luchas en un lugar llamado Estadio de Cicero. Varios de los luchadores locales trabajaban ahí, aunque necesitaban alguien que les abriera el espectáculo.

El héroe local era conocido por todo el país e incluso en México. Se hacía llamar Dr. Muerte.

El rudo más importante provenía de Nueva York y se llamaba

Jabalí Junior Rodríguez.

A quienes asistían para presenciar una lucha limpia no les gustaba nada Jabalí y siempre se lo hacían saber. Sin embargo, a quienes disfrutaban de los trucos sucios les encantaba ir a verlo.

«Sin embargo, a quienes disfrutaban de los trucos sucios les encantaba ir a verlo».

Ambos guerreros se enfrentaron en el cuadrilátero de aquel polvoso y pequeño estadio.

Al llegar el día del gran evento, en los casilleros tanto hombres como mujeres se comportaban amablemente. Estaban contentos de tener trabajo y de compartir el espacio con dos de los más grandes de la industria.

Los dos hombres se encontraron brevemente antes del espectáculo. Se saludaron y se felicitaron uno a otro.

Después, cada uno se fue por su lado para preparar sus respectivos rituales previos a lucha en privado. Ambos eran competitivos y respetaban mucho las tradiciones. El Dr. Muerte aprovechaba su tiempo para canalizar su energía y liberar su mente de toda distracción. Necesitaba enfocarse para ser el mejor.

Jabalí Junior Rodríguez, por el contrario, empleaba su tiempo en calentar sus músculos. Le gustaba sentirse lo más ligero posible durante sus encuentros. Podía depender de su fuerza y agilidad para ganar partidas.

Cuando los dos grandes luchadores estaban finalmente listos para lanzarse al ring, la multitud entró en un gran frenesí. Los padres recordaban luchas que habían presenciado durante su juventud y se emocionaban cual niños. El ruido aumentaba mientras las luces se atenuaban y el anunciador tomaba el micrófono.

Comenzó a presentar a los luchadores en un tono de voz tan alto que parecía campana de iglesia.

«En esta esquina...directo desde Nueva York...Jabalí Junior Rodrígueeeeez»

El clamor aumentaba a medida que el hombre de la máscara

From New York came the ultimate rudo. His name was Jabali Junior Rodriguez.

The people who came to see a good fair lucha didn't like Jabali Junior Rodriguez and they let him know what they thought about him.

The people who loved the dark side of wrestling loved Jabali Junior Rodriguez.

The two great warriors would meet in the squared circle in the dusty little stadium.

The day of the big event finally arrived. The men and women in the locker room were gracious. They were all glad to be working. They were also glad to be on the same card with two of industry's giants.

The two men met briefly before the lucha. They shook hands and paid great compliments to one another.

Then they went their separate ways in order to have some privacy to do their pre-match rituals. Both men were very serious competitors and very respectful of the traditions. Dr. Muerte used his time to channel his energy and clean his mind of all distractions. He needed to focus to be successful.

Jabali Junior Rodriguez used time to stretch his muscles and to make sure he was as loose and limber as possible. He counted on his strength and agility to win matches.

When the two great luchadors were ready to be called to the ring the crowd whipped itself into a frenzy. The fathers remembered big matches they witnessed in their youth. They cheered and shouted as if they were kids again. Their volume increased as the lights dimmed and the announcer grabbed the microphone.

He began the introductions in a voice as loud and clear as a church bell.

"And in this corner... All the way from New York City... Jabali Junior Rodriguez!"

The roar grew as the man in the red and black mesh mask came

rojinegra surgía de la cortina de lentejuelas. Se deslizaba cual pantera, con una gracia extraordinaria.

«Y el hijo predilecto de Chicago...el único y verdadero...Dr. Muerteeee».

Los gritos de la muchedumbre aumentaron cuando este asombroso personaje de máscara azul salía de la cortina. Hizo una reverencia frente al público y saltó hacia el ring. Su elegancia y porte apantallaban a todos.

Los dos luchadores se enfrentaron cara a cara en el centro de aquel cuadrilátero. El anunciador hizo bien en marcharse rápidamente, aunque el réferi no corrió con la misma suerte y tuvo que quedarse en el ring.

Jabalí fue el primero en atacar; mandó al Dr. Muerte a volar, atravesando las redes que lo lanzaron de nuevo hacia el centro de la tarima.

Mientras se movía dentro del ring, el Dr. Muerte pudo noquear a Jabalí y entonces empezó lo bueno.

Durante treinta minutos, ambos intercambiaron patadas voladoras, ofensivas de hombros y planchas. Justo cuando parecía que el Dr. Muerte iba ganando, Jabalí Junior Rodríguez se salió del ring. De pronto, el réferi, que estaba distraído, no advirtió que Jabalí había sacado un objeto de su faja para golpear al Dr. Muerte con esta arma y así tirarlo al suelo. Fue entonces cuando Jabalí lo atrapó y el Dr. Muerte ya no pudo hacer nada.

El réferi intervino y golpeó tres veces la tarima y el Dr. Muerte, ya muy debilitado, no pudo levantarse. Le faltaba la fuerza. Lo habían vencido. El réferi tomó el brazo de Jabalí en señal de victoria. El Dr. Muerte se le quedó viendo y estaba muy enfadado. Él era un luchador, no un peleador callejero. Se dirigió dignamente al casillero mientras los aficionados de Jabalí Junior Rodríguez celebraban ruidosamente su triunfo.

La demás gente estaba muy confundida ante lo sucedido. Dos luchadores habían librado una de las batallas más emocionantes de

through the sequin curtains. He moved like a hungry panther. His grace was extraordinary.

"And Chicago's favorite son… The one… the only… Dr. Muerte!"

Somehow the crowd got even louder as this regal man in the blue mask walked though the curtain. He bowed respectfully to the crowd as he walked to the ring. He moved with intentional grace and poise.

The two luchadors faced each other in the center of the squared circle. The ring announcer wisely slipped away. The referee—not quite as lucky—was forced to stay in the ring.

Junior Rodriguez took the first swing sending Dr. Muerte crashing across the ring and into the ropes which catapulted him back into the center of the ring.

As he moved across the ring Dr. Muerte was able to clothesline Jabali Junior Rodriguez and just like that they were in the thick of it.

For nearly thirty minutes they exchanged drop kicks and suplexes. They executed perfect flying elbows and planchas. Just at the moment when Dr. Muerte appeared to be getting the upper hand, Jabali Junior Rodriguez rolled out of the ring. When the referee was distracted Jabali Junior Rodriguez pulled something out of the waist band of his tights.

He quickly rolled back into the ring and, when the referee wasn't looking, he hit Dr. Muerte in the head with whatever it was he was holding. As Dr. Muerte dropped to the floor, Jabali Junior Rodriguez ditched his weapon and covered Dr. Muerte.

Once the leg was hooked, there was little Dr. Muerte could do.

The referee slid into position and slapped the mat three times as the weakened Dr. Muerte struggled to lift his shoulders. He didn't have the strength. He was defeated.

As Jabali Junior Rodriguez jumped up the referee grabbed his hand and raised it in victory. Dr. Muerte looked on. He was angry, but he was a luchador, not a street fighter. He slid out of the ring and walked slowly back to the locker-room. Jabali Junior Rodriguez fans

los últimos tiempos y esta terminó porque uno de ellos golpeó al otro con una tuerca de unas seis pulgadas.

El Dr. Muerte volteó entonces al ring. Observó que su némesis lo miraba también. Prometió perdonar, pero nunca olvidar.

cheering still ringing in his ears.

The rest of the crowd was confused at what they saw. Two legendary luchadors have one of the most exciting matches in recent history and it ended with a six-inch length of lead pipe.

Dr. Muerte paused for a moment and looked back towards the ring. He saw his nemesis staring back at him. Dr. Muerte vowed to forgive but never forget.

Eighteen

For many people walking into the party was a pretty big deal. It was the first time many of them had been in the gym. The families of the luchadors had heard about the sacred place, but most had never seen it. Tonight, it was on full display.

"I absolutely love parties," Grandmother said as she hugged Dr. Muerte. "Thank you for inviting me."

"But of course, Abuelita," he said as he looked past her and at Aguila Azul who trying to avoid his mentor's glare.

Dr. Muerte took Grandmother on his arm and walked her to the

Dieciocho

Para mucha gente, asistir a la fiesta se trataba de un asunto de gran importancia. Era la primera vez que muchos iban al gimnasio. Las familias de los luchadores habían escuchado sobre aquel recinto sagrado, pero jamás habían acudido. Hoy, el lugar estaba de fiesta.

«Me encantan las fiestas», dijo la abuela mientras abrazaba al Dr. Muerte. «Muchas gracias por invitarnos».

«Por supuesto, abuelita», le contestó mientras Águila Azul pasaba junto a él, evitando mirarlo directamente a los ojos.

El Dr. Muerte se llevó a la abuela por el brazo y la dirigió hacia una larga mesa donde había arroz, tamales y frijoles. También había pollo con mole, una olla con carne para tacos y un montón de tortillas. En un extremo de la mesa había una fuente de sodas con un refresco burbujeante que parecía gustarle a la gente.

«Una fuente de ginger ale», dijo el Dr. Muerte.

«Me encanta el ginger ale», respondió la abuela.

De pronto, la música comenzó a vibrar en las paredes. Todos miraron hacia el ring, el cual se había convertido en una cabina de DJ. Águila Azul reconoció a su viejo amigo, corrió al centro de la pista y lo abrazó. Hacía mucho tiempo que no se veían y tenían ganas de abrazarse.

Pero Jerónimo debía tocar la siguiente canción, así que tuvieron que separarse. Prometieron reencontrarse al término de la fiesta. Águila Azul fue adonde estaba su abuela.

Durante la fiesta, la gente reía y bailaba. Las familias de luchadores se presentaban entre sí.

Fue entonces cuando el Dr. Muerte se acercó al centro del ring y pidió el micrófono para hablar.

«Damas y caballeros» comenzó. «Hoy es una noche de fiesta, pero también es una gran oportunidad para presentar a los mejores luchadores de todo Chicago».

Mientras hablaba, la puerta metálica se cimbró y alguien salió detrás de ella. Los luchadores reconocieron la máscara roja con negro de inmediato, aunque no sabían quién era el hombrecillo de color amarillo con verde.

«Así que...volvemos a encontrarnos, Dr. Muerte», gritó Jabalí Jr. Rodríguez.

«Jabalí» respondió el Dr. Muerte. «Este es un evento privado y una celebración pacífica. No eres bienvenido aquí».

«No tengo intención alguna de quedarme. He venido solamente a dar un mensaje».

«Dalo y vete», añadió el Dr. Muerte.

long table where she saw tamales and rice and frijoles. There was a chicken in a mole sauce and a big steaming pot of taco meat and a stack of tortillas. At the end of the table there was a big fountain pouring out a bubbly drink that people seem to be enjoying

"A ginger-ale fountain," Dr. Muerte said.

"I love ginger ale," Grandmother replied.

Suddenly the music began to bounce off the walls. Everyone looked up at the ring which had been turned into a DJ booth. When Aguila Azul saw his old friend up there he couldn't stop himself. He ran up into the ring and they hugged. They hadn't seen each other in a long time and neither was in a hurry to break the hug.

Eventually they had to let go so Jeronimo could play the next song. After promising to catch up after the party, Aguila Azul crawled out of the ring and back to where his grandmother stood.

As the party progressed people laughed and danced. The families of the luchadors met the families of other luchadors.

When the party was in full swing and all of the families are in attendance, Dr. Muerte crawled up into the ring and asked for the microphone.

"Ladies and gentlemen," he started, "tonight is a night of celebration, but it is also a night to introduce you to some of the finest luchadors in all of Chicago."

As he spoke the large metal door behind him banged open startling everyone. The luchadors recognized the red and black mask right away. No one knew who the smaller man with the yellow and green mask was.

"So we meet again, Dr. Muerte," Jabali Junior Rodriguez said loudly.

"Jabali," Dr. Muerte responded. "This is a private party and a peaceful gathering. You're not welcome here."

"I have no intention of staying here. I just came to deliver message."

"Go ahead and deliver it and be gone," Dr. Muerte said.

«Dr. Muerte, has estado huyendo de mí durante mucho tiempo».

«Nunca he huido de nadie» interrumpió.

«Di lo que quieras», estalló Jabalí Jr. Rodríguez.

Todo el mundo se calló. Algunos invitados trataron de esconderse tras los pilares. Águila Azul se posó frente al Dr. Muerte.

«Parece que tienes un perro de pelea», dijo Jabalí Jr. Rodríguez mientras señalaba a Gervasio.

«Yo también tengo uno».

«Aquí no hay perros, Jabalí. Hay luchadores».

«Prefiero tener un perro hambriento que doce luchadores bien entrenados» dijo Jabalí en tono burlón.

«Di lo que tengas que decir y ya vete» repuso el Dr. Muerte.

«Dentro de cuarenta días mi perro se enfrentará a tu mejor luchador en el ring. Quien pierda deberá cerrar su gimnasio para siempre».

«Ahí estaré» dijo Águila Azul. «Voy a arrastrar a tu perro por el ring».

«No tan rápido, Águila» agregó el Dr. Muerte.

«Acepto» dijo Jabalí. «En cuarenta días»

Se volteó y se marchó. Libélula se postró de manera amenazante. Analizó el gimnasio con su mirada y estaba seguro de que no había nadie en ese lugar que pudiera vencerlo. Entonces percibió una luz brillante; la medalla de San Judas que Águila Azul portaba en su cuello debajo de la máscara.

Había visto esa medalla antes. Solo Libélula sabía quién estaba detrás de la máscara. Al darse cuenta de esto, dudó un momento, pero después levantó sus brazos y los flexionó.

Nadie se dio cuenta de su titubeo excepto Jabalí. Después de esto se marcharon.

Águila Azul miró al Dr. Muerte. Aquel hombre, más corpulento y veterano, miró de vuelta al joven flacucho.

«¿Qué has hecho, Águila?».

«Lo que usted hubiera hecho» respondió Águila Azul.

«Me encanta que ya te consideres mi mejor luchador».

«Perdón, jefe», dijo Águila Azul en silencio. «Disculpe si me excedí».

"Dr. Muerte, you've been running from me for a long time..."

"I have never run from anyone," Dr. Muerte interrupted.

"Call it what you will," Jabali Junior Rodriguez got even louder.

Everyone went quiet. Some of the guests tried to hide behind the pillars. Aguila Azul stood in front of Dr. Muerte.

"You seem to have a dog who wants to fight," Jabali Junior Rodriguez said pointing at Gervasio... "I have a dog, too."

"I have a no dogs here, Jabali. I have luchadors."

"I would rather one hungry dog then twelve well-trained luchadors!" Jabali Junior Rodriguez laughed out loud

"Say your piece now and leave," Dr. Muerte said.

"In forty days my dog will meet your best luchador in the ring. The losing gym will close down forever."

"I'll be there," Aguila Azul said. "I'll pin your dog in the mat!"

"Not so fast, *Eagle*," Dr. Muerte said.

"I accept," Jabali Junior Rodriguez said. "Forty days."

He turned to leave. The Dragonfly stepped up to strike an intimidating pose. Scanning the room, he was certain there was no one in this gym who could beat him. He began to stretch into a flex when he caught of glimmer of light reflecting off of the San Judas medal Aguila Azul wore around his neck just beneath the mask.

He had seen that gold medal before. Only the Dragonfly knew who was behind that mask. With this knowledge, he hesitated for just a moment, then lifted his arms and completed his flex.

No one noticed the hesitation except Jabali Junior Rodriguez. And then they were gone.

Aguila Azul turned to Dr. Muerte. The larger, older man looked down at the younger and smaller man.

"What have you done, *Eagle*?"

"I did what you would've done," Aguila Azul replied.

"I love that you already consider yourself my best."

"I'm sorry, *Jefe*," Aguila Azul said quietly. "I'm sorry if I crossed a line."

«No, no fue así. Solo me da gusto de que finalmente te des cuenta de quién eres».

«Bueno, ¿entonces le entramos?», preguntó Águila Azul.

«En cuarenta días, ¡claro!», respondió el Dr. Muerte.

Tras el incidente, la música comenzó de nuevo y las familias de los luchadores comenzaron a bailar y a comer. En poco tiempo se habían olvidado de lo sucedido.

«Me encantan las fiestas», dijo la abuela de Águila Azul al Dr. Muerte, mientras se dirigía con él a la pista de baile.

"No, you didn't. I'm just glad you finally realize who you are."

"So are we going to do this?" Aguila Azul asked

"In forty days!" Dr. Muerte responded.

Perfectly—as if on cue—the music began again and the families and the luchadors began to dance and eat. Before too long they seemed to have forgotten what had happened.

"I do love a party," Grandmother said to Dr. Muerte as she led him to the dance floor.

Nineteen

For the next forty days Gervasio worked harder than he ever had before. He ran twice as far and twice as fast. He lifted more weights than any other luchadors combined. He ate the best tacos and drank his tamarind Jarritos. He practiced his moves with bigger, stronger luchadors.

He didn't know who was behind that dragonfly mask, but he knew it was his job to pin him to the mat. He knew that only in pinning The Dragonfly could he truly achieve the success he dreamed about back in those days in the yard with Jeronimo and Thiago.

Diecinueve

Los siguientes cuarenta días, Gervasio entrenó más duro que nunca. Corrió el doble de lejos y el doble de rápido. Levantó más pesas que todos los luchadores en conjunto. Comió tacos de los mejores y bebió Jarritos de tamarindo. Practicó sus jugadas con luchadores de mayor tamaño.

No sabía quién estaba detrás de aquella máscara de libélula, pero sabía que tendría que inmovilizarlo en el ring. Sabía que esto era lo único que demostraría el éxito con el cual llegó a soñar aquellos días en que practicaba luchas en el patio con Jerónimo y Thiago.

Nada lo detendría en esa pelea. Si llegara a perder, sería porque el otro luchador era mejor pero no porque no estuviera listo para la justa. No se dejaría derrotar. Estaría más que listo.

Nothing was going to get in his way that night. If he lost it was because the other luchador was better than him and not because he wasn't ready for the match. He would not defeat himself. He would be ready.

Twenty

The Dragonfly began his forty days with conditioning. Jabali Junior Rodriguez had him running up and down the stairs to the gym. His soft leather mat shoes pounded on the pavement without mercy.

On the fifth day of this training he was summoned to Jabali Junior Rodriguez's office. The young luchador had no idea what his mentor wanted, but he was fifteen minutes early to the meeting.

"Why did you falter at Muerte's party," Jabali Junior Rodriguez got right to the point.

Veinte

Libélula comenzó sus cuarenta días con acondicionamiento físico. Jabalí Jr. Rodríguez lo hacía correr arriba y abajo por las escaleras del gimnasio. El cuero de sus zapatos golpeaba el cemento sin clemencia.

Al quinto día de su entrenamiento, Jabalí lo llamó a su oficina. El joven luchador no tenía idea de qué quería su mentor, pero llegó con quince minutos de antelación.

«¿Por qué titubeaste en la fiesta del Dr. Muerte?», Jabalí fue directo al grano.

«Perdón, maestro, pero no sé a qué se refiere» respondió Libélula.

Jabalí Jr. Rodríguez se levantó y colocó su mano sobre el hombro del joven luchador. Después apretó su hombro con fuerza, causándole mucho dolor.

«¿Me estás llamando mentiroso?» gruñó el grandulón.

«No, señor» respondió mientras se contraía del dolor. «Claro que no».

«¡Te vi titubear cuando aquel pollito se paró junto al Dr. Muerte!».

«Junto a usted, todos son pollitos» contestó Libélula esperando un poco de compasión.

Sintió un dolor punzante en su hombro.

«Claro, pero al ver al luchador que defendió a aquel viejo, dudaste».

«No, señor» dijo mientras se torcía del dolor.

«Si dudas en el ring, perderás, dijo el hombre, mientras dejaba de sostener el hombro del chico.

«No será así, maestro. Usted me ha enseñado muy bien».

«Más te vale ganar, muchacho» respondió entonces Jabalí. «Si me tengo que ir, volveré a Nueva York y te dejaré afuera en el frío cual perro».

«Sí, señor» respondió finalmente Libélula.

«Bueno pues, ¡A trabajar! ¡A prepararse!» gritó Jabalí.

Libélula saltó de su silla y se marchó como pudo de aquel cuarto. Jabalí Jr. Rodríguez lo observó irse. No le creía nada al joven. También sabía que jamás podría volver a Nueva York. Tenía que asegurar una victoria para Libélula y también para él.

"I'm sorry, *Maestro*," the Dragonfly said. "I don't know what you're talking about."

Jabali Junior Rodriguez stood up and came around his desk. He laid a hand on the young boy's shoulder. The hand soon turned into a vice squeezing the shoulder causing great pain.

"Are you calling me a liar?" the big man growled.

"No, Sir," he winced through the pain. "Of course not."

"I saw you hesitate when you saw that little pollito who stood with Dr. Muerte!"

"Next to you all men are little pollitos," Dragonfly said hoping for some mercy.

His shoulder was throbbing.

"Of course, but the luchador who wanted to defend the old man—he made you hesitate."

"No, Sir," the pain was excruciating.

"If you hesitate in the ring you will lose," the man said. He finally relaxed his grip on the boy's shoulder.

"I won't, Maestro! You have taught me well."

"You'd better see to it that you do win, boy," Jabali Junior Rodriguez said. "If I have to leave, I'll go back to New York City. I will leave you out in the cold like a dog."

"Yes, Sir," Dragonfly said.

"Now go! Work! Prepare!" Jabali Junior Rodriguez shouted.

The Dragonfly jumped out of his chair and scrambled out of the room. Jabali Junior Rodriguez watched him go. He didn't believe a word the young man said. He also knew he couldn't go back to New York City—ever. He had to secure a victory for the Dragonfly and for himself.

Twenty-one

Gervasio and Jeronimo decided to meet for a quiet meal. It was a brief break from the training. Gervasio took very few breaks. He hadn't seen his friend in so long he thought it would be okay to break training to catch up with Jeronimo over burritos and horchata.

They met at Los Comales and began talking as though they had never been apart. It was only when the conversation turned to the upcoming lucha event that things got a little awkward.

Veintiuno

Gervasio y Jerónimo decidieron juntarse para un breve almuerzo. Descansarían un poco de sus entrenamientos. Gervasio no tomaba descansos casi nunca, pero tenía mucho tiempo sin ver a su amigo y pensó que estaría bien encontrase con Jerónimo para ir a comer burritos y agua de horchata.

Se encontraron en Los Comales y comenzaron a platicar como si nunca se hubieran apartado.

Pero al hablar de la próxima lucha, las cosas se volvieron un tanto extrañas.

«Yo solo te digo» comenzó Jerónimo. «Jabalí venció al Dr. Muerte cuando se encontraron en el ring en el 99»

«¿Cómo lo sabes?» preguntó Gervasio en tono angustiado.

«Todo el mundo lo sabe» respondió Jerónimo riendo.

«No te lo creo» añadió Gervasio mientras se mecía en su silla.

«Créemelo, hermano» dijo después Jerónimo.

«Aunque fuera cierto, fue hace mucho tiempo» respondió Gervasio, ahora un poco enojado.

«Hay quienes dicen que el Dr. Muerte solo te está usando para vengarse»

«Qué diablos...»

«Dicen que quiere contar contigo para terminar lo que él nunca pudo» replicó Jerónimo.

«Eso es una locura» dijo Gervasio con determinación.

«Piénsalo, hermano» continuó Jerónimo. «Si llegaras a ganar, se quedará aquí en Chicago. Si pierdes, al menos puede culparte de tener que irse»

«Pero...»

«No sabemos quién sea este Libélula, pero puedes estar seguro de que no parará hasta inmovilizarte en el centro del ring»

«Pero...»

«Te avergonzarán ahí mismo y el Dr. Muerte se irá» dijo Jerónimo en tono alarmante.

«¿Y para qué te habrás esforzado tanto, Gervasio?»

«El Dr. Muerte jamás me haría algo así» repuso.

«Parece que ya lo está haciendo...»

«Me tengo que ir» dijo Gervasio mientras buscaba su billetera.

«Yo invito» agregó Jerónimo. «Ahorra porque lo vas a necesitar»

«Te equivocas» respondió después Gervasio.

«Lo dudo, pero espero que así sea» le dijo mientras observaba a su viejo amigo salir por la puerta.

"I'm just saying," Jeronimo said. "Jabali Junior Rodriguez beat Dr. Muerte when they met in the squared circle in '99."

"How do you know that?" Gervasio couldn't take the tension out of his voice.

"Everyone knows," Jeronimo laughed

"I don't believe it," Gervasio said shifting back and forth in his chair.

"Believe it, *hermano*," Jeronimo said.

"Even if it's true, it was a long time ago," Gervasio said. His doubt was turning into anger.

"Some people are saying that Dr. Muerte is using you for his revenge."

"What the..."

"They say he is counting on you to finish what he couldn't," Jeronimo said.

"That's crazy," Gervasio's anger was turning into strength.

"Think about it, *bro*," Jeronimo went on. "If you win, he stays in town. If you lose he can blame you for him having to leave."

"But..."

"We don't know who this Dragonfly is, but you can bet he will stop at nothing until you're pinned to the mat."

"But..."

"You get embarrassed and Dr. Muerte walks away." Geronimo's tone got darker.

"All of your work—for what? For what, Gervasio?"

"Dr. Muerte would never do that to me," Gervasio spit out.

"Looks like he's already doing it..."

"I gotta go," Gervasio said as he reached for his wallet.

"I got this, bro," Jeronimo said. "Save your money; you're going to need it."

"You're wrong, bro," Gervasio said.

"I doubt it, but I hope I am," he said as he watched his old friend walk out the door.

LUCHA!

Twenty-Two

That night Gervasio lay in his bed and stared at the ceiling. He stared as if the answers might be somewhere in those faded white ceiling tiles.

Try as he might, Gervasio couldn't get Jeronimo's words out of his head

He thought he knew Dr. Muerte, but maybe he didn't. Maybe it was all part of his mentor's plan. Maybe Dr. Muerte did want revenge. Maybe he was using Gervasio to set things right. He fell asleep still wondering what to do about all of this.

Veintidós

Aquella noche, Gervasio miró al techo mientras estaba acostado en la cama. Parecería que las respuestas se hallaban en aquellas lozas blancas.

Por más que lo intentaba, no podía sacarse aquellas palabras de Jerónimo de la cabeza.

Creía conocer al Dr. Muerte, pero quizá no lo conocía tan bien. Quizá todo era parte de un plan. Quizá sí buscaba vengarse después de todo. Quizá lo estaba utilizando y Jerónimo tenía razón. Se quedó dormido pensando en todo esto.

A la hora del desayuno, la abuela de Gervasio había puesto todo lo que le gustaba comer en la mesa: huevo con chorizo y tortillas de maíz, bollos dulces con azúcar y rebanadas de aguacate.

Su abuela se paseaba por la cocina mientras tarareaba una canción al llenar el plato de Gervasio.

«Qué emoción, mi niño» dijo. «El Dr. Muerte va a hacerte muy famoso»

Gervasio bajó la cabeza sin decir nada.

«¿Escuchaste lo que te dije, mijo?»

«Sí, abuelita» respondió.

No sabía cómo decirle a su abuela que estaba cambiando de opinión con respecto al asunto. ¿Cómo podía decirle que no le gustaba nada la idea de que el Dr. Muerte lo estuviera utilizando para vengarse de alguien?

No le dijo nada; no necesitaba. Era su abuela. Las abuelas saben todo.

«¿Quién te entrenó gratis?» preguntó.

«No fue exactamente gratis» respondió.

«¿Con qué dinero se lo pagaste?»

«No me refería a eso» dijo en silencio.

«¿Quién te enseñó todas esas jugadas tan complicadas?»

«El Dr. Muerte»

«¿Quién te cuidó y te apoyó siempre?» preguntó implacable.

«El Dr. Muerte»

«Quiero que te olvides de todo lo que estás escuchando en la calle, Gervasio» dijo su abuela mientras colocaba su mano en su hombro. «El Dr. Muerte es un buen hombre y siempre te ha cuidado muy bien»

Gervasio pausó. Quizá Jerónimo estaba equivocado con respecto al Dr. Muerte.

«Claro que todo el mundo está diciendo de todo» añadió la abuela. «Pero al único al que debes creerle es a tu corazón»

«Abuelita» respondió. «No estoy seguro; lo siento»

At breakfast Gervasio's grandmother had all of his favorite foods on the table.

There was chorizo and eggs and corn tortillas. There was sweet cake bun with sugar on top. There was sliced avocado.

His grandmother scurried around the kitchen. She hummed an old song while she filled Gervasio's plate.

"I'm just so excited, *Niño,*" she said. "Dr. Muerte is gonna make you famous."

Gervasio put his head down and didn't say anything.

"Did you hear me, *mijo?*'

"Yes, *Abuelita,*" he replied.

He didn't know how to tell a grandmother that he was having second thoughts. How could he tell her that he didn't like the idea of being used by Dr. Muerte with his plans of revenge?

He didn't want to tell her anything. He didn't have to. She was his grandmother. Grandmothers know everything.

"Who took you in and trained you for free?" she asked.

"It wasn't exactly free," he said.

"Oh? You had money to pay him for this?"

"That's not what I meant," he said quietly.

"Who taught you all those fancy moves?

"Dr. Muerte."

"Who looked out for you ahead of all of those others?" she was relentless.

"Dr. Muerte."

"So, you forget those stories you are hearing on the street, Gervasio." She said sitting next to him. She put her hand on his shoulder. "Dr. Muerte is a good man. He has always taken the best care of you."

Gervasio paused for a moment. Maybe Jeronimo was wrong about Dr. Muerte.

"Sure everyone is telling stories," she said. "You should believe only your heart."

«Siéntete seguro, es todo» le dijo mientras le daba su jugo de naranja. «Si en verdad no estás seguro, dile al Dr. Muerte de una vez por todas y no lo hagas perder tiempo»

«¿Tú qué harías en mi caso, abuelita?»

«Me subiría al ring, vencería a mi adversario y de esta forma le mostraría mi agradecimiento al Dr. Muerte»

«¿Pero, y si pierdo?»

«No pierdas» añadió. «Acábate tu desayuno que tienes que irte a entrenar»

«Si tú lo dices» dijo después Gervasio.

El joven luchador comió en silencio. Sabía lo que tenía que hacer. Iba a ganar para salvar la honra del Dr. Muerte y también para salvar el gimnasio.

"*Abuelita*," he started. "I'm not sure. I'm sorry."

"Don't be sorry. Be sure," she said getting up to get him his orange juice. "If you cannot do this thing, tell Dr. Muerte now. Don't waste his time."

"What would you do, *Abuelita*?"

"I'd go into that ring and pin that *conejo* and show Dr. Muerte that you're grateful."

"But if I lose?"

"Don't lose," she said. "Eat your breakfast. You have to go out work out."

"If you say so," he said.

The young luchador ate quietly. He knew what he had to do. He was going to win and save Dr. Muerte and his gym.

Paul Barile

Twenty-Three

As the day of the match grew closer Gervasio trained harder than ever. Dr. Muerte told him to relax and focus. The mentor reminded the young man to work smart, not hard.

The Dragonfly worked harder than he ever had in his life and it still wasn't enough to satisfy Jabali Junior Rodriguez. The harder Jabali pushed, the harder The Dragonfly worked. He lifted well past his weight class and ran long after his body needed water. And still with all that good work he couldn't work hard enough for his mentor.

Two days before the match Dr. Muerte called Aguila Azul into

Veintitrés

Mientras se acercaba el día del encuentro, Gervasio entrenaba más que nunca. El Dr. Muerte le aconsejó relajarse, pero también concentrarse lo más que pudiera. El mentor le recordó al joven que lo importante era trabajar bien sin cansarse.

Por su parte, Libélula también se preparaba mejor que nunca, pero ni con ello conseguía convencer a Jabalí Jr. Rodríguez. Cuanto más lo provocaba Jabalí, más duro entrenaba Libélula. Levantaba mucho más peso que de costumbre y corría hasta que su cuerpo no aguantaba. A pesar de todo este gran trabajo, nada era suficiente para su mentor.

Dos días antes del encuentro, el Dr. Muerte llamó a Águila Azul a su oficina. El luchador no quería distraerse de su entrenamiento.

«Águila» empezó el Dr. Muerte. «Lo que sea que suceda en ese ring, quiero que sepas que estoy muy orgulloso de ti»

«Tengo que ganar» respondió.

«Por supuesto que me encantaría que ganaras, pero, aun si pierdes, todo estará bien»

«¿A dónde irá si perdemos?»

«A ninguna parte» dijo el Dr. Muerte en silencio. «Me jubilaré y disfrutaré el resto de mi vida–

«¿Qué significa eso?» preguntó Gervasio. ¿No la disfruta ya?»

El Dr. Muerte pensó antes de responder.

«Me ha gustado mi vida y he disfrutado conocerte, pero cuando me tenga que ir, lo haré en silencio»

«No lo defraudaré, señor»

«Lo único que te pido es que des lo mejor de ti. Si haces eso, no me decepcionarás»

«Así será» contestó Gervasio. «Lo prometo»

«Bueno, ahora vuelve a entrenar» dijo el Dr. Muerte. Se rio consigo mismo.

Gervasio abandonó la oficina. Se había quitado un peso de encima.

his office. The luchador didn't want to take a break from his work out.

"Eagle," Dr. Muerte started, "Whatever happens in that ring you have to know I'm very proud of you."

"I have to win," he replied.

"Of course I would like you to win, but if you lose we'll be just fine."

"Where will you go if we lose?"

"Nowhere," Dr. Muerte said quietly. "I'll retire, enjoy the rest of my life."

"What does that mean?" Gervasio asked. "Don't you enjoy your life now?"

Dr. Muerte thought about it for a minute before he answered.

"I have loved my life," he said. "I have also enjoyed all of our time together, but when it's my time to go, I'll go quietly."

"I won't let you down, sir."

"All I ask is that you do your best. If you do that, I will not be let down."

"I will," Gervasio said. "I promise."

"Now get back to work," Dr. Muerte said. He laughed to himself.

Gervasio left the office. The weight of the world fell off his shoulders.

Twenty-Four

On the night of the match the air crackled with electricity. The entire arena was full. The kids had popcorn and churros. The little ones ran around in the ring wearing the masks of their favorite wrestlers.

The evening was a much bigger success than anyone could have predicted. The luchadors on the undercard did their absolute best to impress the crowd.

Back in the locker room Dr. Muerte sat quietly with Aguila Azul. They sat side-by-side in silent meditation. Their breathing was slow

Veinticuatro

La noche del encuentro, el ambiente era electrizante. La arena estaba llena. Los niños comían churros y palomitas y los más pequeños corrían alrededor del ring con las máscaras de sus luchadores favoritos.

La noche estaba resultado mejor de lo esperado. Los luchadores en la cartelera hacían lo mejor para impresionar a la multitud.

De vuelta en los casilleros, el Dr. Muerte se sentó tranquilamente junto a Águila Azul y ambos comenzaron a meditar. Sus respiraciones eran lentas pero firmes. No dijeron nada. No había necesidad.

Ambos estaban sentados en silencio y respetuosamente.

Al otro lado estaban Jabalí Jr. Rodríguez y Libélula. Jabalí le gritaba al joven, pero lo único que este lograba escuchar era el ruido de la gente mientras temblaba ahí sentado. No sabía si temblaba de miedo o emoción.

Sabía a quién iba a enfrentarse y estaba molesto porque la amistad había terminado. También estaba triste por todo el tiempo perdido, pero también le resultaba divertido que Gervasio no supiera quién estaba detrás de aquella máscara de libélula.

Jabalí Jr. Rodríguez continuó gritándole a Libélula. No lo estaba alentando; por el contrario, lo desmotivaba. Luego de un breve silencio, Jabalí sacó una tuerca de unas seis pulgadas y se la entregó a Libélula.

«Ponte esto en la cintura» gruñó.

«¿Qué es eso?» preguntó el joven.

«Una póliza de seguro» respondió Jabalí.

«Yo le veo cara de tuerca» dijo Libélula.

«Si Águila Azul comienza a ganar, saca esto mientras el réferi no dé cuenta y le pegas en la cabeza con esto»

«¿No cree que pueda ganar limpiamente?

«No importa lo que yo crea» dijo Jabalí. «No puedo volver a Nueva York y por eso necesito una póliza de seguro»

«Así es como venció al Dr. Muerte ¿verdad?»

«Los ganadores no tienen por qué dar explicaciones. Dime, ¿tú eres un ganador?»

«Claro que lo soy, maestro» respondió Libélula.

«Entonces acepta este seguro» dijo Jabalí. «Asegúrate de no dejar nada a la suerte»

Libélula tomó la tuerca y la colocó en su faja.

and steady. They didn't say a word. They didn't need to. They sat in silence with respect.

On the other side of the locker room Jabali Junior Rodriguez hovered over The Dragonfly. He was yelling at the young man, but all The Dragonfly heard was the noise of the crowd as he sat and trembled. He wasn't sure if the trembling was fear of Jabali Junior Rodriguez or the excitement of going into the ring.

He knew who he would be going up against and it angered him that their friendship had ended. He was also sad because of the time lost to him and finally, he was also a little amused, because Gervasio had no idea who was under the dragonfly mask.

Jabali Junior Rodriguez continued to yell at The Dragonfly. He wasn't motivating the young man so much as breaking his spirit. Then he got quiet for a moment. Jabali Junior Rodriguez reached into his locker and pulled out a six-inch pipe. He handed the pipe to The Dragonfly.

"Put this in your waistband," he growled.

"What is it?" the young man asked.

"It's an insurance policy," Jabali Junior Rodriguez responded.

"It looks like a pipe," The Dragonfly said.

"If that blue bird starts to win, you pull this out when the referee isn't looking and you hit him in the head with it."

"Don't you think I can beat him fair and square?"

"It doesn't matter what I believe," Jabali Junior Rodriguez said. "I can't go back to New York so I need an insurance policy."

"This is how you beat Dr. Muerte, isn't it?"

"Winners don't have to explain anything because they are winners. Are you a winner?"

"Of course I am, Maestro," The Dragonfly said.

"Then take the insurance," Jabali Junior Rodriguez said. "Make sure you leave nothing to chance."

The Dragonfly took the pipe and slipped it into the waistband of his tights.

Twenty-Five

Under the glare of the lights, the two luchadors faced off. The crowd was cheering loudly, but all either of them could hear was your blood pounding in their ears. Nothing else mattered anymore. This was the moment they trained for.

The two gladiators—former friends—faced each other in the ring with everything on the line.

They circled each other slowly, hands out at their sides moving with the grace of ninjas. Their eyes locked in hypnotic trance. Breathing through their mouths, their breath was hot under their

Veinticinco

Los luchadores se enfrentaron bajo la luz de los reflectores. Aunque la gente hacía mucho ruido, lo único que podían escuchar era el latido de sus corazones. Este era el momento que habían esperado y no importaba nada más.

Ambos gladiadores, antes amigos, estaban dispuestos a dar todo en aquel ring.

Se rodeaban lentamente con las manos a los lados. Parecían ninjas. Sus ojos se miraban fijamente como en un trance hipnótico. Al respirar por sus bocas, su aliento caliente se dejaba escapar a través de las máscaras. Sería la primera vez que se enfrentaran uno al otro.

El sudor quemaba los ojos de Águila Azul, pero esto no le importó. Prefirió esperar a ver quien lanzaría la primera jugada.

Libélula corrió hacia Águila Azul, quien se agachó con cuidado. Después lo mandó hacia las redes y volvió a chocar con él.

Ambos luchadores se acercaron al centro de la tarima de manera espectacular y la gente comenzó a alborotarse más. Gritaban, chiflaban y aplaudían.

Al incorporarse de nuevo, Águila Azul sujetó fuertemente a Libélula y lo tiró al suelo, pero él se levantó como si nada. Águila Azul casi podía mirar la risa debajo de aquella máscara de libélula.

La lucha continuó, a veces favoreciendo a un contrincante, a veces al otro. Ambos demostraron que sabían hacer grandes movimientos y jugadas, incluso las más peligrosas.

Ninguno de los luchadores pensó en detenerse y la gente seguía gritando a cada momento.

El Dr. Muerte estaba sentado en los casilleros e intentaba percibir quién estaba ganando por el ruido de los gritos. Jabalí Jr. Rodríguez, en cambio, acechaba aquel ring para decirle qué hacer a Libélula.

De pronto, la suerte pareció estar de lado de Libélula. Levantó a Águila Azul con toda la intención de aventarlo al suelo.

masks. They were about to clash for the first time.

The sweat burned Aguila Azul's eyes, but he ignored it as he circled the ring waiting to see who would make the first move.

The Dragonfly suddenly ran toward Aguila Azul who ducked down low. The Dragonfly continued past him into the ropes which he used as a sling shot sending him crashing back into Aguila Azul.

As the two luchadors hit the ground with a thud, the crowd cheered. They roared and cheered and clapped their hands.

When they pulled themselves to their feet Aguila Azul grabbed The Dragonfly in a wrist lock and threw him to the canvas. The Dragonfly popped back up is if nothing had happened. Aguila Azul could almost see the smile under The Dragonfly's mask.

The lucha continued like all matches do with momentum shifting from one luchador back to the other and back again. There was all manner of high-flying maneuvers such as the Moonsault and the Frog Splash. There were also more dangerous moves like the Code Breaker and the Belly-to-Belly Suplex.

Neither luchador gave an inch or even a second thought about slowing down. The crowd continued to cheer more loudly with each move.

Dr. Muerte sat in the locker room letting the cheers tell him who was winning. Jabali Junior Rodriguez stalked the ring barking out instructions for The Dragonfly.

In one move the momentum shifted toward The Dragonfly. He lifted Aguila Azul up to the top rope intending to slam him to the canvas.

Twenty-Six

The Dragonfly was prepared to sacrifice everything at that moment so that he might win and finally make Jabali Junior Rodriguez proud of him.

As he cinched in the hold, Aguila Azul shifted his shoulders and turned the move back in his favor. Aguila Azul then executed the perfect Sunset Flip.

As the two luchadors came crashing to the ground. The referee slid into position. Before he could raise his hand to start the count, The Dragonfly slipped the pipe out of his tights.

Veintiséis

Libélula estaba preparado para sacrificar todo en aquel momento para que Jabalí Jr. Rodríguez se sintiera orgulloso de él. Mientras lo sostenía en el aire, Águila Azul logró voltearse y logró una perfecta jugada a su favor.

Entonces, ambos chocaron con la tarima y el réferi entró para intervenir. Antes de que pudiera empezar con el conteo, Libélula sacó la tuerca de su faja y la sostuvo firmemente entre sus dedos. Se aseguró de que nadie la viera. La apretó con tanta fuerza que hasta los nudillos se le pusieron blancos.

Miró directamente a Águila Azul, quien antes fuera su amigo, y levantó aquella tuerca. Observó la máscara del hombre que estaba a punto de vencerlo y levantó la tuerca.

Cuando el réferi comenzó con el conteo, 1...2..., Libélula aventó la tuerca lo más lejos que pudo de la cabeza de Águila Azul.

El réferi gritó: "treeeees" y la tuerca rebotó por aquella tarima golpeando la cabeza de Jabalí Jr. Rodríguez de forma abrupta.

Entonces la multitud se levantó. Estaban encantados; tanto, que hasta tiraron las palomitas.

El Dr. Muerte saltó de felicidad, aunque era la única persona en los casilleros. Sabía bien quién había ganado: el luchador correcto.

De vuelta en el ring, Águila Azul estaba de pie con las manos levantadas en señal de victoria.

Jabalí Jr. Rodríguez, sin embargo, no estaba de pie. Estaba sentado sobándose la cabeza.

Libélula se quitó la máscara y todo el mundo quedó sorprendido, pero ninguno más que Águila Azul, quien se quedó mirando fijamente la cara de su alguna vez amigo.

Los réferis alzaron de nuevo las manos de Águila Azul y Águila Azul levantó las manos de Libélula.

El ruido se volvió verdaderamente ensordecedor.

The Dragonfly slowly wrapped his fingers around the pipe. He held it where no one could see it. He squeezed it with every ounce of energy he had, He squeezed it until his knuckles were white.

He looked into the eyes of Aguila Azul, the man who was once his best friend, and he lifted up that pipe. He looked at the mask of the man who is about to pin him to the mat and he lifted that pipe.

Just as the referee started to count... 1...2... The Dragonfly slammed that pipe down onto the mat as far from Aguila Azul's head as he could reach..

The referee yelled, "THREE!" as the pipe bounced off the mat and hit Jabali Junior Rodriguez in the head with a clonk.

The crowd was on their feet! They cheered! They laughed! They spilled their popcorn!

Dr. Muerte jumped to his feet even though he was alone in the locker room. He could tell by the cheers the right luchador won the match.

Back in the ring Aguila Azul was on his feet. His hands were held up in victory.

Jabali Junior Rodriguez was not on his feet. He sat rubbing his head.

The Dragonfly slowly pulled off his mask and everyone was surprised, but none more than Aguila Azul who was staring at the face of his long-lost friend.

The referees raised Aguila Azul's hands again in victory. Aguila Azul raised The Dragonfly's hand.

The crowd cheered louder and louder.

Twenty-Seven

On Monday morning, Gervasio was at the gym earlier than usual. It was almost as if he had wanted to make sure that the old place was still there.

He walked up the stairs and toward the locker room. Dr. Muerte poked his head out of the office and asked him to step in for a minute. Gervasio turned on his heel and walked straight to the office.

"*Jefe*, can I ask a favor?" he asked before Dr. Muerte could say a word.

"Of course you can, Eagle."

Veintisiete

El lunes por la mañana, Gervasio se presentó al gimnasio más temprano que de costumbre, como para asegurarse de que todavía estuviera ahí.

Subió las escaleras hacia los casilleros y el Dr. Muerte se asomó por la puerta de su oficina y le preguntó si podían hablar unos minutos. Gervasio se apresuró a la oficina.

«Jefe, ¿puedo pedirle un favor?», preguntó al Dr. Muerte antes de que este dijera una palabra.

«Claro, Águila» respondió.

«El otro luchador, al que le llaman Libélula, ¿usted sabía que nos conocíamos?».

«Quizá tomó el camino equivocado y cometió unos cuantos errores», continuó Gervasio.

«¿Y por qué me lo dices?».

«Creo que merece una segunda oportunidad; empezar de nuevo», dijo después Gervasio. «Si estuviera aquí con nosotros, sería un mejor luchador y una mejor persona».

«Puede ser», dijo el Dr. Muerte estoicamente.

«¿Puedo decirle que venga a hablar con usted? –

Gervasio se sorprendió ante su propia seguridad.

«Lo siento, Águila», dijo el Dr. Muerte. «Por el momento no tenemos lugar».

«Dr. Muerte, yo creo que sí podríamos encontrarle un lugar a él».

«Lo siento, Águila» continuó. «Si aceptamos a demasiada gente en el programa, eso afectará a quienes ya forman parte de él».

El Dr. Muerte estaba un poco asombrado, pero en el fondo sabía que Gervasio haría lo que fuera por su amigo.

«Dr. Muerte, odio tener que decirle esto, pero me voy; renuncio» dijo Gervasio desafiándolo.

«Si en verdad no hay lugar, renuncio», respondió mientras golpeaba sus pies. «He aprendido muchísimo aquí, pero podría continuar mi entrenamiento en otro gimnasio. Thiago necesita un buen guía para entrenar así que me voy. Ahora necesita admitirlo.»

El Dr. Muerte empezó a reírse.

«Gracias por burlarse, jefe…».

«No me estoy burlando de ti, Águila, sino me río de la situación».

Después vino un silencio incómodo.

«Te quiero presentar al nuevo miembro de este gimnasio», dijo finalmente el Dr. Muerte. «Ya puedes salir».

Thiago llegó al casillero y miró a Gervasio.

"That other luchador—the one they call The Dragonfly—did you know he and I had a history?"

"No one knew who he was until he took his mask off," Dr. Muerte responded.

"He caught a few bad breaks and he maybe took the wrong path," Gervasio continued.

"So why are you telling me?"

"I think he needs a second chance—a fresh start," Gervasio went on. "If he were here with us, he would be a better luchador and a better person."

"Perhaps," Dr. Muerte said stoically.

"Can I call him and ask him to come down here to talk to you?"

Gervasio was surprised by his own confidence.

"I'm sorry, Eagle," Dr. Muerte said. "There really isn't any room right now."

"But Dr. Muerte, surely we can fit him in?"

"I'm sorry, Eagle," Dr. Muerte said. "If you take too many people into the program, the people already in the program will get short changed."

"Dr. Muerte, I hate to say it, but I quit!" Gervasio said defiantly.

Dr. Muerte was a bit shocked, but deep down he knew what Gervasio would do for his friend.

"If room is limited, I quit," Gervasio said stomping his foot. "I've learned a lot here. I can take my lessons with me to another gym. Thiago needs proper guidance and training, so I'm out. Now you have to accept him."

Dr. Muerte laughed quietly under his mask.

"Thank you for not laughing, *Jefe*!"

"I'm not laughing at you, Eagle," Dr. Muerte said. "I'm laughing at the situation."

There was an awkward pause as the two men sized each other up.

"I'd like you to meet the newest member of the gym," Dr. Muerte

«Creo que ya se conocen», dijo el Dr. Muerte

«Pero...», Gervasio se quedó mudo.

«Entiendo la confusión. Pedro el Puma abandonó el gimnasio este fin de semana. Hablamos el domingo. Quiere dedicarse a otra cosa...pondrá un carrito de hot dogs».

«¿Así que SÍ había lugar?».

«Digamos que sí», dijo el Dr. Muerte. «Cuando Pedro el Puma me dio la noticia, le llamé inmediatamente a Thiago para ofrecerle un lugar».

«¿Y toda esta discusión fue para nada?», dijo Gervasio entre risas.

«No fue para nada» añadió el Dr. Muerte. «Hoy me demostraste dos cosas: la primera es que la familia y la lealtad van primero que nada; la segunda es que posees la integridad para ser un gran luchador de por vida».

«Gracias, jefe», le dijo después.

finally said. "You can come out now."

Thiago came quietly into the room and looked at Gervasio.

"I think you two know each other," Dr. Muerte said.

"But..." Gervasio was speechless.

"I understand the confusion. Puma Pete left the gym this weekend. We spoke on Sunday afternoon. He wants to get out of the business and open a hot dog stand."

"So you had extra space all along?"

"Well I kinda did," Dr. Muerte said. "Right after Puma Pete called me to give me his news; I called Thiago and offered him the spot."

"So, you made me go through all that for nothing?" Gervasio laughed.

"It was not for nothing," Dr. Muerte said. "You proved two things to me today: the first is that family and loyalty come before being a luchador; and the second is that you have the integrity and dignity to be a luchador forever."

"Gracias, *Jefe*," he said.

Twenty-Eight

As a rising sun forces its way through the streaky windows of the gym, two young luchadors practice their high-flying maneuvers and grappling skills and a popular young DJ plays their favorite music to pump them up for the morning workout.

Veintiocho

Mientras el sol se cuela por las agrietadas ventanas de aquel gimnasio, ambos luchadores practican todas sus jugadas y maniobras, y un joven y popular DJ toca la música que más les gusta para alentarlos en su entrenamiento matutino.

Crece la esperanza

Cuando su padre estaba cerca, Esperanza jugaba con sus muñecas. Era muy buena para fingir que le gustaban. Las peinaba y les ponía vestiditos que su padre le compraba en el mercado sobre ruedas.

Pero cuando su padre estaba en el trabajo, Esperanza solía llamar a su amiga Marisol y antes de decir agua va, ambas amigas estaban practicando patadas, maromas, piruetas y las más arriesgadas jugadas en el patio. A veces se detenían para beber agua y compartir la historia que marcaban en aquel momento en el barrio de Pilsen en Chicago.

Esperanza sabía en el fondo que su padre jamás la dejaría convertirse en luchadora. Siempre le decía que la lucha era para niños y que ella sería una gran madre y esposa algún día. No quería que se lastimara o le pasara algo grave.

«Eso es de niños, no de niñas», solía decir su padre en tono despectivo.

«¿Para qué me nombraste Esperanza si no me alientas a tenerla?», preguntó una noche durante la cena.

«Mi esperanza es que encuentres un buen esposo y tengas un lindo hogar» dijo. «Acábate tus verduras».

«Para que crezcas grande y fuerte», dijo su madre entre dientes.

Después de eso, mientras arropaba a la joven en la cama y la luna brillaba directamente hacia la recámara, habló con su hija.

«Mi madre era luchadora cuando era joven y mira qué bien salí. Tu padre jamás lo entenderá, pero estoy segura de que algún día llegarás al ring».

Hope Rising

When her father was around Esperanza played with her dolls. She was even getting good at pretending she liked it. She combed her doll's hair and dressed her up in the little suits her father brought home from the flea market for her.

When her father was at work Esperanza called her friend Marisol and, before you could say high-risk maneuver, the two friends were in the backyard practicing their kicks and flips. They would stop occasionally to drink some water and to share a little of the history they were writing for themselves right there in that backyard in Chicago's Pilsen neighborhood.

Deep down Esperanza knew her father would never let her be a luchadora. He told her that the lucha was for the boys and that she would make a nice wife and a good mother some day. He didn't want her to hurt herself wrestling.

"That's a game for the boys," her father said dismissively

"Why did you name me Esperanza if you aren't going to encourage me to have hope?" she asked at dinner one night.

"Your hope is my hope for a good husband and a nice home," he said. "Now eat your vegetables."

"So you can grow to be big and strong," her mother said under her breath.

Later when her mother was tucking her into her bed, the moon shining into the room, she spoke quietly to the young girl.

"My mother was a luchadora when she was young and I think I turned out okay. Your father may never understand, but you'll get into that ring one day if I have anything to say about it."

«¿Quieres decir la abuelita por quien me nombraron?»

«Ella misma» dijo su madre. «Ella era mi esperanza y, ahora, tú eres la mía».

«Y tú la mía» respondió Esperanza al colocar su cabeza en la almohada y cerrar los ojos.

Su madre apagó la luz de la habitación y Esperanza empezó a soñar con patadas voladoras.

"The *abuelita* I am named for?" Esperanza asked.

"Of course," her mother said softly. "She was my great hope. I want to be yours."

"You are," Esperanza said. She laid her head on her pillow and closed her eyes.

Her mother turned the light off as she left the room and soon visions of dropkicks were flying through Esperanza's head.

Sobre el autor

Paul Barile es un autor de Chicago y un gran aficionado de la lucha libre. Ha pasado varios años en aulas con chicos de tres a quince años. Es un escritor prolífico; sus cuentos, obras de teatro y poesía han sido ampliamente publicados. Sus obras de teatro se han representado en varias ciudades del mundo tales como Nueva York, Londres y Chicago.

Paul asiste a eventos de lucha libre cada mes en la región de Chicago. Su pasión por las historias, así como por el arte de la lucha libre, lo ha llevado a escribir libros y ensayos que exaltan la belleza de las luchas.

Todos los años, viaja a la Ciudad de México para asistir a la Arena México (también llamada "la catedral de la lucha libre") y a lo largo del tiempo, ha tenido la oportunidad de conocer a algunos de los luchadores y luchadoras más célebres del mundo.

La serie Leyendas de la Lucha (Lucha Legends) pretende combinar el arte de la escritura con la pasión de la lucha libre y espera que sus lectores se emocionen y conozcan más de este deporte al leer estos libros.

Sobre el ilustrador

César Ayala Delgado. Nacido y criado en Tuxpan Veracruz México. Luego de pasar su niñez dibujando todo el día influenciado por caricaturas, series anime, cómics y lucha libre algunos años después decide incursionar en el campo del arte y luego de pasar unos años dando vueltas por la facultad de arte de la Universidad Veracruzana, comienza sus primeros proyectos como un ilustrador independiente realizando trabajos para videojuegos, juegos de mesa, portadas de discos, cómics y proyectos editoriales.

El traductor

Raúl Ariza Barile es traductor profesional y profesor de Letras Inglesas en la Universidad Nacional Autónoma de México.

Agradecimientos

Gracias a Thunder Rosa, Jabalí Junior Rodríguez, Tod Altenburg, Galli Lucha Libre, Carlo Galli, Lucha Libre Total, Manuel Yakuza Ramírez, Freelance Underground, James Russo, al Dr. Raúl Ariza Andraca y a Aeroboy. Gracias, también, a los luchadores y luchadoras que dan todo en el ring noche tras noche y que lo arriesgan todo por la pasión y el espectáculo de la lucha libre.

About the author

Paul Barile is a Chicago-based writer and fan of the Lucha Libre. He has spent many years in classrooms working with children aged from three to fifteen years old. He is also a prolific writer whose fiction, plays and poetry is widely published. His plays have been produced across from the world, including New York City, Chicago and London.

Paul also attends monthly Lucha Libre events in and around the Chicago area. His passion for the storytelling and the graceful ballet of the Lucha has resulted in books and essays celebrating the Lucha.

Paul visits Arena Mexico (Mexico City) annually to experience the Lucha in the building known as "the cathedral of Lucha Libre." Over the years Paul has met some of the most famous Luchadors and Luchadoras in the world.

Lucha Legends series is Paul's opportunity to celebrate the craft of writing with the excitement of the Lucha Libre. He hopes to impart some wisdom to the readers of these books.

About the illustrator

César Ayala Delgado. Born and raised in Tuxpan Veracruz Mexico. After spending his childhood drawing all day influenced by cartoons, anime series, comics and wrestling some years later he decides to venture into the field of art and after spending a few years going around the art faculty of the Universidad Veracruzana, begins his first projects as an independent illustrator doing work for video games, board games, album covers, comics and editorial projects.

The Translator

Raúl Ariza-Barile is a professional translator and also teaches English Literature at the National Autonomous University of Mexico (UNAM) in Mexico City.

Acknowledgements

Thanks to Thunder Rosa, Jabali Junior Rodriguez, Tod Altenburg, Galli Lucha Libre, Carlos Galli, Lucha Libre Total, Manuel Yakuza Ramirez, Freelance Underground, James Russo, Dr. Raul Ariza Andraca, and Aeroboy. Also thanks to all of the luchadors and luchadoras who step into the ring night after night and risk it all for the passion of Lucha Libre.

Glossary

Here is short glossary of terms. New terms will be added to each book in the series. Collect them all and learn all about this magical world full of colorful characters and their high-flying ways. More information and explanation about the world of the Lucador can be found on our website: lucha-legends.com.

Churro: A fried pastry, often fruit filled, rolled in sugar and served at Mexican social events.

Drop Kick: A wrestling maneuver which features one wrestler jumping up from a standing position and kicking his opponent in the chest.

El Jefe: The Boss

Lucha Libre: Mexican style of wrestling. The term translates to free fighting.

Luchador/Luchadora: A wrestler trained in the ways of Mexican wrestling.

Mask/Mascaras: The brightly colored mask that luchadors wear in (and sometimes out of) the ring. Traditionally a luchador was never seen without their mask on.

Matracas: A wooden noisemaker that makes a loud ratcheting sound when rotated.

Plancha: A high flying aerial wrestling move.

Rudo: The bad guy.

Tecnico: The good guy.